Portuguese
Phrase Book & Dictionary

martins
Martins Fontes

© 2005, Berlitz Publishing/Apa Publications GmbH & Co. Verlag KG, Singapore Branch, Singapore

Berlitz Trademark Reg. U.S. Patent Office and other countries. Marca Registrada. Used under license.

Todos os direitos reservados. É proibido reproduzir esta obra, sem autorização prévia, ainda que parcialmente, copiá-la ou retransmiti-la por qualquer meio, seja eletrônico seja mecânico (fotocópia, microfilme, registro sonoro ou visual, banco de dados ou qualquer outro sistema de reprodução ou transmissão).

© 2006, Livraria Martins Fontes Editora Ltda., São Paulo, para a presente edição.

Edição de texto
Eliel Silveira Cunha

Transcrição fonética
Profª Dr. Paulo Chagas (Departamento de Lingüística da Universidade de São Paulo)

Revisão
Adriane Gozzo
Tereza Gouveia

Dados Internacionais de Catalogação na Publicação (CIP)
(Câmara Brasileira do Livro, SP, Brasil)

Portuguese phrase book / [edição de texto Eliel Silveira Cunha ; transcrição fonética Paulo Chagas]. -- São Paulo : Martins, 2006. -- (Série Guias Berlitz)

Título original: Berlitz phrase book & dictionary - portuguese
ISBN 85-99102-44-3

1. Português - Conversação e frases - Inglês I. Cunha, Eliel Silveira. II. Chagas, Paulo. III. Série.

06-7271	CDD-469.8242

Índices para catálogo sistemático:
1. Frases : Guias de conversação português-inglês : Lingüística 469.8242
2. Português : Frases : Guias de conversação : Inglês : Lingüística 469.8242

www.martinseditora.com.br

1ª edição Novembro de 2006 | **2ª reimpressão** Fevereiro de 2009 | **Diagramação** Megaart Design
Fonte Palatino | **Papel** Offset 75 g/m² | **Impressão e acabamento** Cromosete

Contents

Pronunciation	6		

Basic Expressions 10

Greetings/Apologies	10	Why?	15
Communication difficulties	11	Who?/Which?/Whose?	16
		How?	17
Questions	12	Is it/Are there…?	17
Where?	12	Can/May?	18
When?	13	What do you want?	18
What kind of?	14	Other useful words	19
How much/many?	15	Exclamations	19

Accommodations 20

Reservations	21	Renting	28
Reception	22	Youth hostel	29
Problems	25	Camping	30
Requirements	26	Checking out	32

Eating Out 33

Restaurants	33	Soups/Salads	44
Brazilian/Portuguese cuisine	34	Fish/Seafood	45
		Meat	46
Finding a place to eat	35	Vegetables/Fruit	47
Reservations	36	Cheese	48
Ordering	37	Desserts/Pastries	48
Fast food/Café	40	Drinks	49
Complaints	41	Beer/Wine	49
Paying	42	Spirits/Liqueurs	51
Course by course	43	Non-alcoholic drinks	51
Breakfast	43	Menu Reader	52
Appetizers/Starters	43		

Travel 65

Safety	65	Hitchhiking	83
Arrival	66	Taxi/Cab	84
Plane	68	Car/Automobile	85
Train	72	Car rental	86
Long-distance bus [Coach]	78	Gas [Petrol] station	87
Bus/Streetcar [Tram]	78	Breakdown	88
Subway [Metro]	80	Accidents	92
Ferry	81	Asking directions	94
Bicycle/Motorbike	83	Road signs	96

Sightseeing 97

Tourist information	97	Impressions	101
Excursions	98	Tourist glossary	102
Sights	99	Who?/What?/When?	104
Admission	100	In the countryside	106

Leisure 108

Events	108	Nightlife	112
Movies [Cinema]	110	Children	113
Theater	110	Sports	114
Opera/Ballet/Dance	111	At the beach	116
Music/Concerts	111	Carnivals	117

Making Friends 118

Introductions	118	Enjoying your trip?	123
Where are you from?	119	Invitations	124
Who are you with?	120	Socializing	126
What do you do?	121	Telephoning	127

Stores & Services 129

Hours	132	Household articles	148
Service	133	Jeweler	149
Paying	136	Newsstand [News-	
Complaints	137	agent]/Tobacconist	150
Repairs/Cleaning	137	Photography	151
Bank/		Police	152
Currency exchange	138	Post office	154
Pharmacy	140	Souvenirs	156
Clothing	143	Antiques	157
Health and beauty	147	Supermarket	158

Health 161

Doctor (general)	161	Gynecologist	167
Accident and injury	162	Hospital	167
Symptoms/Conditions	163	Optician	167
Doctor's inquiries	164	Dentist	168
Parts of the body	166	Payment and insurance	168

English–Portuguese dictionary & index 169
Portuguese–English dictionary 202

Reference 216

Numbers	216	Time	220
Days/Months/Dates	218	Maps	222
Greetings	219	Quick reference	224
Public holidays	219	Emergency	224

Pronunciation

This section is designed to make you familiar with the sounds of Portuguese by using our simplified phonetic transcription.

You'll find the pronunciation of the Portuguese letters and sounds explained below, together with their "imitated" equivalents. To use this system, found throughout the phrase book, simply read the pronunciation as if it were English, noting any special rules below.

The Portuguese language

There are over 200 million speakers of Portuguese worldwide. These are the countries where you can expect to hear Portuguese spoken (figures are approximate):

Brasil Brazil
Portuguese is spoken by the 180 million population.

Portugal Portugal
Portuguese is the national language and is spoken by practically all of the 11 million population.

África Africa
Portuguese is the official language in Angola (10 million), other languages are Mbundu (5 million), Kongo (1 million); Cape Verde (450,000), most of the population speak a version of Portuguese creole; Guinea-Bissau (1.2 million), other languages are Balante, Fulani and Malinke; Mozambique (18 million), other languages are Makua (4 million), Tsonga (1.5 million).

Espanha Spain
Galician, similar to Portuguese, is spoken by 3 million people in northwestern Spain.

Portuguese is also spoken in Macao (500,000), though Cantonese is the language of commerce. There are about 400,000 Portuguese speakers in the United States.

The Portuguese alphabet is the same as English, with the addition of several accented characters: **ã, ç, ê, ô** and **õ**. The acute accent (´) indicates stress, rather than a change in sound. Portuguese is closely related to Spanish. Many words are spelt the same in both languages; e.g. **norte** (north), **mesa** (table).

There are some differences in vocabulary, expressions, and pronunciation between the Portuguese spoken in Brazil and that in Portugal – although each is easily understood by the other. Portuguese terms are shown in brackets.

Consonants

Letter	Approximate pronunciation	Symbol	Example
f, l, v, b t, p,	similar to English, but somewhat less decisive		
c	1) before **e** and **i** like *s* in *sit*	s	**cedo** _saydoo_
	2) otherwise, like *k* in *kit*	k	**casa** _kahzah_
ç	like *s* in *sit*	s	**começar** _kohmaysahr_
ch	like *sh* in *shut*	sh	**chamar** _shummahr_
d	as in English, but often before i and sometimes e as j and *dg* in ju*dg*e	d / j	**dia** **dia** _jeeah_
g	1) before **a**, **o**, **u**, or **a**, l ike *g* in *go*	g	**garfo** _gahrfoo_
	2) before **e** and **i**, like *s* in p*l*easure	zh	**gelo** _zhayloo_
h	always silent		**hora** _awDah_
j	like *s* in p*l*easure	zh	**já** _zhah_
lh	like *lli* in mi*lli*on	ly	**olho** _ohlyoo_
m	1) when initial or between vowels, like *m* in *m*et	m	**mais** _mighs_
	2) between a vowel and a consonant, or if last letter of word, it indicates that the vowel is nasalized, but the *m* is generally silent	yng	**cem** _sayng_
n	1) when initial or between vowels, like *n* in *n*o	n	**novo** _nohvoo_
	2) in a consonant group and in plural endings it nasalizes the preceding vowel	n/ng	**branco** _brunkoo_ **homens** _ohmayngs_
nh	like *ni* in o*ni*on	ny	**vinho** _veenyoo_
q	like *k* in *kit*	k	**querer** _kayDayr_
r	like American flap t in ci*t*y		**hora** _awDah_
r	similar to h in *h*it	h	**rua** _hooah_

Consonants (continued)

s	1) like *s* in *s*it	s/ss	**saber** *sahbayr*
	2) like *z* in ra*z*or	z	**casa** *kahzah*
t	(*Braz.*) before *i* or unstressed *e*, like *ch* in *ch*urch	ch	**arte** *ahrchi*
x	1) generally like *sh* in *sh*ut	sh	**baixo** *bighshoo*
	2) in **ex-** before a vowel, like *z* in ra*z*or	z	**exausto** *eezowstoo*
	3) sometimes like *x* in e*x*it	ks	**táxi** *tahksi*
z	1) like *z* in ra*z*or	z	**zero** *zaiDoo*
	2) like *s* in *s*un	s	**luz** *loos*

Vowels

a	1) like *u* in c*u*t	u	**contas** *kontus*
	2) like *ar* in p*ar*ty	ah	**nado** *nahdoo*
	3) like *er* in oth*er*	ah	**porta** *pawrtah*
e	1) like *e* in g*e*t	ai	**perto** *pairtoo*
	2) like *a* in l*a*te or French in café	ay	**cabelo** *kahbayloo*
	3) in unstressed final syllables, like *i* in h*i*t		**antes** *ung-chis*
é	like *e* in g*e*t	ai	**café** *kahtai*
ê	like French *é* in caf*é*	ay	**mês** *mays*
i	1) like *ee* in s*ee*d	ee	**riso** *heezoo*
	2) like *i* in s*i*t	i	**informação** *infohrmahsung-w*
o	1) like *o* in r*o*d	aw	**fora** *fawDah*
	2) like *o* in n*o*te	oh	**jogar** *zhohgah(r)*
	3) like *oo* in f*oo*t	oo	**caso** *kahzoo*
ô, ou	something like *o* in n*o*te	oh/oe	**outro** *ohtroo*
u	1) like *oo* in s*oo*n	oo	**uma** *oomah*
	2) silent in **gu** and **qu** before **e** or **i**		**querer** *kayDayr*
ai	like *igh* in s*igh*	igh	**mais** *mighs*

Diphthongs

Explain

ai	like *i* in t*i*me	igh	**pai** *pigh*
au/al	like *ow* in n*ow*	ow	**sal** *sow*
ei	like *ay* in d*ay*	ay	**rei** *hay*
eu/el	like *eu* in Spanish *euro*	ayw	**meu** *mayw*
éu/el	like *e* in g*e*t followed by *w*	aiw	**céu** *saiw*
iu/il	like *ee* in s*ee* followed by *w*	eew	**Brasil** *brahzeew*
oi	like *oh* in J*oe* followed by *y*	ohy	**oi** *ohy*
ou/ol	like *oe* in J*oe*	oh	**ouro** *ohDoo*
ói	like *oy* in b*oy*		**dói** *doy*
ol	like *aw* in s*aw* followed by *w*	aw-w	**sol** *saw-w*
ui	like *ou* in gr*ou*p followed by *y*	ooy	**fui** *fooy*
ul	like *ou* in gr*ou*p with an offglide	oo	**sul** *soo*

Nasal vowels

These are similar to the French nasal vowels and also to the nasal twang heard in some areas of the United States and Britain.

ã, an	like *ung* in l*ung*		**amanhã** amung-nyung
am	like ã *campo* kumpo		
	or like ã followed by *w*		**falam** fahlung-w
em, en	like *a* in l*a*te combined with *ng* in si*ng*	aym(n)	**cento** sayntoo
im, in	a nasalized *ee* as in f*ee*t	eem(n)	**cinco** seenkoo
om, on	*on* as in French "b*on*"	awm(n)	**bom** bohng
um, un	a nasalized *oo* as in f*oo*t	oom(n)/oong	

Semi-nasalized diphthongs

In the following, the vowel is nasalized and combined with a nasalized *y* as in *y*et or with a *w* in *w*as.

ãe	ã followed by *y* in *y*et	ung-y	**mãe** mung-y
ão	ã followed by *w* in *w*as	ung-w	**mão** mung-w
õe	*orn* in c*orn*cob followed by *y* in *y*et	oym(n)	**põe** poyng

Stress

Stress has been indicated in the phonetic transcription: <u>underlined</u> letters should be pronounced louder and longer than the others.

Pronunciation of the Portuguese alphabet

A	ah	**I**	ee	**R**	<u>eh</u>-hi
B	bay	**J**	<u>zhott</u>ah	**S**	<u>ess</u>i
C	say	**L**	<u>ell</u>i	**T**	tay
D	day	**M**	<u>aym</u>i	**U**	oo
E	ai	**N**	<u>ayn</u>i	**V**	vay
F	effi	**O**	oh	**W**	<u>dahbleew</u>
G	zhay	**P**	pay	**X**	shees
H	<u>ahgah</u>	**Q**	kay	**Z**	zay

Note: The letters **k**, **w**, and **y** occur only in foreign names and their derivatives, as well as in certain abbreviations.

Basic Expressions

Greetings/		Why?	15
Apologies	10	Who?/Which?	16
Communication		Whose?	16
difficulties	11	How?	17
Questions	12	Is it…?/Are there…?	17
Where?	12	Can/May?	18
When?	13	What do you want?	18
What kind of?	14	Other useful words	19
How much/many?	15	Exclamations	19

ESSENTIAL

Yes.	**Sim.** *seeng*
No.	**Não.** *nung-w*
Okay.	**O.K.** *aw-kay*
Please.	**Por favor.** *poor fahvohr*
Thank you very much.	**Muito obrigado(-a).** *mweentoo ohbreegahdoo/ah*

Greetings/Apologies Saudações/Desculpas

Hello!/Hi!	**Olá! Oi!** *ohlah! ohy!*
Good morning.	**Bom dia.** *bong jeeah*
Good afternoon/evening.	**Boa tarde.** *bohah tahrji*
Good night.	**Boa noite.** *bohah nohychi*
Good-bye.	**Adeus.** *ahdayws*
Excuse me! *(getting attention)*	**Desculpe!** *jiskoopi*
Excuse me. *(May I get past?)*	**Com licença.** *kong leesensah*
Excuse me!/Sorry!	**Perdão!** *payrdung-w*
It was an accident.	**Foi sem querer.** *fohy sayng kayDayr*
Don't mention it.	**De nada.** *ji nahdah*
Never mind.	**Tudo bem.** *toodoo bayng*

INTRODUCTIONS ➤ 118

Communication difficulties
Problemas de comunicação

Do you speak English?	**Fala inglês?** *fahlah in<u>glays</u>*
Does anyone here speak English?	**Alguém aqui fala inglês?** *ow<u>gayng</u> ah<u>kee</u> <u>fah</u>lah in<u>glays</u>*
I don't speak (much) Portuguese.	**Não falo (bem) português.** *nung-w <u>fah</u>loo (baym) pohrtoo<u>gays</u>*
Could you speak more slowly?	**Pode falar mais devagar?** *<u>paw</u>ji fah<u>lahr</u> mighs jeevah<u>gahr</u>*
Could you repeat that?	**Pode repetir?** *<u>paw</u>ji haypay<u>cheer</u>*
What was that?	**Como (disse)?** *<u>kom</u>moo (<u>jee</u>si)*
Could you spell it?	**Pode soletrar?** *<u>paw</u>ji sohlay<u>trahr</u>*
Please write it down.	**Escreva, por favor.** *is<u>kray</u>vah poor fah<u>vohr</u>*
Can you translate this for me?	**Pode traduzir isto?** *<u>paw</u>ji trahdoo<u>zeer</u> <u>ees</u>too*
What does this/that mean?	**O que significa isto/aquilo?** *o ki signee<u>fee</u>kah <u>ees</u>too/ah<u>kee</u>loo*
How do you pronounce that?	**Como se pronuncia isso?** *<u>kom</u>moo si prohnoon<u>see</u>ah <u>ee</u>soo*
Please point to the phrase in the book.	**Mostre-me a frase no livro, por favor.** *<u>maws</u>tri-mi ah <u>frah</u>zi noo <u>lee</u>vroo poor fah<u>vohr</u>*
I understand.	**Entendo [Compreendo].** *in<u>ten</u>doo [kompree<u>ayn</u>doo]*
I don't understand.	**Não entendo [não compreendo].** *nung-w in<u>ten</u>doo [kompree<u>ayn</u>doo]*

– São trinta reais [euros].
(That's 30 reais [euros].)
– *Desculpe. Não entendo.* (Sorry. I don't understand.)
– São trinta reais [euros].
(That's 30 reais [euros].)
– *Escreva, por favor.* (Please write it down.)
– Sim. (Yes.)
–*… Ah, trinta reais [euros]. Aqui está.*
(… Ah, 30 reais [euros]. Here you are.)

Questions Perguntas

GRAMMAR

Questions can be formed in Portuguese:
1. by a questioning intonation; often the personal pronoun is left out, both in affirmative sentences and in questions:
   Falo inglês.   I speak English.
   Fala inglês?   Do you speak English?
2. by using a question word (➤12–17) + the inverted order (verb-noun):
   Quando abre o museu?   When does the museum open?

In Portuguese there are two main verbs meaning "to be":
ser indicates a permanent state:
   Sou inglês.   I'm English.
   É brasileira.   She is Brazilian.
estar indicates movement or a non-permanent state:
   Está doente.   He is ill.
   Estou passeando.   I am walking.
The verb **ficar** can also be used, meaning "to be situated".

Where? Onde?

Where is it?	**Onde fica/está?** _onji feekah/istah_
Where are you going?	**Aonde vai?** _aonji vigh_
to the meeting place [point]	**no ponto de encontro** _noo pontoo ji inkontroo_
away from me	**longe de mim** _lonzhi ji meeng_
downstairs	**(lá) embaixo** _(lah) ing bighshoo_
from the U.S.	**dos Estados Unidos** _dooz istahdooz ooneedoos_
here	**aqui** _ahkee_
in the car	**no carro** _noo kah-hoo_
in Brazil	**no Brasil** _noo brahzeew_
opposite the market	**em frente ao mercado** _ing fraynchi ow mayrkahdoo_
on the left/right	**à esquerda/direita** _ah iskayrdah/deeDaytah_
to the hotel	**para o hotel** _pahDah oo ohtehw_
toward Rio de Janeiro	**na direção do Rio de Janeiro** _nah jeeDaysung-w doo heeeoo ji zhunnayDoo_

When…? Quando…?

When does the museum open?	**Quando abre o museu?** _kwundoo ahbri oo moozayw_
When does the train arrive?	**Quando chega o trem [comboio]?** _kwundoo shaygah oo trayng [koomboh-yoo]_
after lunch	**depois do almoço** _daypohys doo owmohsoo_
always	**sempre** _sempri_
around midnight	**por volta da meia-noite** _poor vaw-wtah dah mayah nohychi_
at 7 o'clock	**às 7 (horas)** _ahs sehchi (awDahs)_
before Friday	**antes de sexta-feira** _ungchis ji saystah fayDah_
by tomorrow	**(para) amanhã** _(pahDah) amung-nyung_
daily	**diariamente** _jeeahreeah-menchi_
during the summer	**durante o verão** _dooDungchi oo vayDung-w_
every week	**todas as semanas** _tohduz ahs saymunnus_
for 2 hours	**durante/por 2 horas** _dooDungchi /poor doo-uz awDus_
from 9 a.m. to 6 p.m.	**das 9 às 18 (horas)** _dus nawvi ahs dayzohytoo (awDus)_
immediately	**imediatamente** _eemayjahtah-menchi_
in 20 minutes	**em 20 minutos** _ing veenchi minootoos_
never	**nunca** _noonkah_
not yet	**ainda não** _ah-eendah nung-w_
now	**agora** _ahgawDah_
often	**muitas vezes** _mweentuz vayzis_
on March 8	**8 de março** _ohytoo ji mahrsoo_
on weekdays	**durante a semana** _dooDungchi ah saymunnah_
once a week	**uma vez por semana** _oomah vays poor saymunnah_
since yesterday	**desde ontem** _dayz-ji ontayng_
sometimes	**às vezes** _ahs vayzis_
soon	**em breve/logo** _ing brehvi/lawgoo_
then	**então/depois** _intung-w/daypohys_
within 2 days	**em 2 dias** _ing dohyz jee-us_
10 minutes ago	**há dez minutos** _ah desh meenootoosh_

What kind of…? De que tipo…?

I'd like something…	**Queria algo…** ki<u>Dee</u>ah <u>ow</u>goo
It's…	**É/Está…** eh/is<u>tah</u>
beautiful/ugly	**bonito/feio** boo<u>nee</u>too/<u>fa</u>yoo
better/worse	**melhor/pior** may<u>lyawr</u>/pee<u>awr</u>
big/small	**grande/pequeno** <u>grun</u>-ji/pi<u>ken</u>noo
cheap/expensive	**barato/caro** bah<u>Dah</u>too/<u>kah</u>Doo
clean/dirty	**limpo/sujo** <u>leem</u>poo/<u>soo</u>zhoo
dark/light	**escuro/claro** is<u>koo</u>Doo/<u>klah</u>Doo
delicious/revolting	**delicioso(osa)/horrível** daylee<u>syoh</u>zoo(-<u>oz</u>zah)/oh-<u>hee</u>vayw
early/late	**cedo/tarde** <u>say</u>doo/<u>tahr</u>-ji
easy/difficult	**fácil/difícil** <u>fah</u>seew/<u>ji</u>fee<u>seew</u>
empty/full	**vazio/cheio** vah<u>zee</u>oo/<u>sha</u>yoo
good/bad	**bom (boa)/mau (má)** bong (<u>boh</u>ah)/mow (mah)
heavy/light	**pesado/leve** pay<u>zah</u>doo/<u>leh</u>vi
hot/warm/cold	**quente/morno/frio** <u>ken</u>chi/<u>mohr</u>noo/<u>free</u>oo
modern/old-fashioned	**moderno/antigo** moh<u>dair</u>noo/un<u>chee</u>goo
narrow/wide	**estreito/largo** is<u>tray</u>too/<u>lahr</u>goo
next/last	**próximo/último** <u>praw</u>ssimoo/<u>oo</u>chimoo
old/new	**velho/novo (nova)** <u>veh</u>lyoo/<u>noh</u>voo (<u>naw</u>vah)
open/shut	**aberto/fechado** ah<u>bair</u>too/<u>fay</u><u>shah</u>doo
pleasant, nice/unpleasant	**agradável/desagradável** ahgrah<u>dah</u>vayw/<u>ji</u>zahgrah<u>dah</u>vayw
quick/slow	**rápido/lento** <u>hah</u>pidoo/<u>len</u>too
quiet/noisy	**sossegado/barulhento** soosay<u>gah</u>doo/bah<u>Doo</u>l<u>yen</u>too
right/wrong	**certo/errado** <u>sair</u>too/<u>ay</u><u>hah</u>doo
tall/small	**alto/baixo** <u>ow</u>too/<u>bigh</u>shoo
thick/thin	**grosso (grossa)/fino** <u>groh</u>soo (<u>graw</u>sah)/<u>fee</u>noo
vacant/occupied	**vago/ocupado** <u>vah</u>goo/ohkoo<u>pah</u>doo
young/old	**jovem/velho** <u>zhaw</u>vayng/<u>veh</u>lyoo

GRAMMAR

Nouns in Portuguese are either masculine or feminine and the adjectival endings change accordingly. Many adjectives end with **-a** in the feminine form, e.g. **bonito – bonita** ➤ 169. Only more unusual feminine endings are given.

How much/many? Quanto/Quantos?

How much is that?	**Quanto é?** _kwuntoo eh_
How many are there?	**Quantos tem/há?** _kwuntoos tayng/ah_
1/2	**um(a)/dois (duas)** _oong(oomah)/ dohys(doo-us)_
3/4/5	**três/quatro/cinco** _trays/kwahtroo/seenkoo_
none	**nenhum** _nennyoong_
about 20 reais [euros]	**cerca de vinte reais [euros]** _sayrkah ji veenchi hay-ighs [aywDoosh]_
a little	**um pouco** _oong pohkoo_
a lot of traffic	**muito trânsito** _mweentoo trunzitoo_
enough	**bastante/suficiente** _bustunchi/ soofeesyenchi_
few/a few of them	**poucos/alguns** _pohkoos/owgoons_
many people	**muitas pessoas** _mweentus paysoh-us_
more than that	**mais do que isso** _mighs doo kay eesoo_
less than that	**menos do que isso** _mennoos doo kay eesoo_
much more	**muito mais** _mweentoo mighs_
nothing else	**mais nada** _mighz nahdah_
too much	**demasiado/demais** _daymahzyahdoo/ji-mighs_

Why? Por quê?

Why is that?	**Por quê?** _poorkay_
Why not?	**Por que não?** _poorkay nung-w_
because of the weather	**por causa do tempo** _poor kowzah doo tempoo_
because I'm in a hurry	**porque estou com pressa** _poorkay istoh koong praisah_
I don't know why.	**Não sei por quê.** _nung-w say poorkay_

NUMBERS ➤ 216

Who?/Which? Quem?/Qual?

Which one do you want?	**Qual deseja?**	kwow day<u>zay</u>zhah
Who is it for?	**Para quem é?**	pah<u>Dah</u> kayng eh
him/her	**ele/ela**	<u>ay</u>li/<u>ell</u>ah
me	**mim**	meeng
them	**eles/elas**	<u>ay</u>lis/<u>ell</u>us
none	**nenhum**	nen<u>nyoo</u>ng
no one	**ninguém**	nin<u>gayng</u>
not that one	**esse não**	<u>ay</u>ssi nung-w
one like that	**um como esse**	oong <u>kom</u>moo <u>ay</u>ssi
someone/something	**alguém/alguma coisa**	ow<u>gayng</u>/ow<u>goo</u>mah <u>kohy</u>zah
this one/that one	**este/esse**	<u>ay</u>s-chi/<u>ay</u>ssi

Whose? De quem?

Whose is that?	**De quem é isso?**	ji kayng eh <u>ees</u>soo
It's…	**É…**	eh
mine	**meu/minha**	<u>mayw</u>/<u>mee</u>nyah
ours	**nosso/nossa**	<u>naw</u>ssoo/<u>naw</u>ssah
yours	**do Sr./da Sra.**	doo sin<u>yohr</u>/dah sin<u>yaw</u>Dah
It's his.	**É seu/sua/dele.**	eh sayw/<u>soo</u>ah/<u>day</u>li
They are hers.	**São seus/suas/dela.**	sung-w <u>sayws</u>/<u>soo</u>us/<u>dell</u>ah
It's… turn.	**É a… vez.**	eh ah… vays
my/our/your	**minha/nossa/sua**	<u>mee</u>nyah/<u>naw</u>ssah/<u>soo</u>ah

GRAMMAR

Possessive adjectives and pronouns agree in gender and number with the object possessed, not the possessor.

	masculine	feminine
my	o meu	a minha
yours (fam./sing.)	o teu	a tua
his/hers/its	o seu	a sua
our	o nosso	a nossa
your	o vosso	a vossa
their	o seu	a sua

How? Como?

How would you like to pay?	**Como deseja pagar?** <u>kom</u>moo day<u>zay</u>zhah pah<u>gahr</u>
by cash	**com dinheiro** koong ji<u>n</u>yayDoo
by credit card	**com cartão de crédito** koong kah<u>r</u>tung-w ji <u>kred</u>jitoo
How are you getting here?	**Como vem para cá?** <u>kom</u>moo vayng <u>pah</u>Dah kah
by car	**de carro** ji <u>kah</u>-hoo
on foot	**a pé** ah peh
quickly	**rapidamente** <u>hah</u>pidah-<u>men</u>chi
slowly	**devagar** jivah<u>gahr</u>
too fast	**depressa demais** ji<u>press</u>ah ji<u>migh</u>s
by chance	**por acaso** pooD ah<u>kah</u>zoo
entirely	**completamente** kom<u>plet</u>tah-<u>men</u>chi
equally	**igualmente** eegwow<u>men</u>chi
totally	**totalmente** tohtow<u>men</u>chi
very	**muito** <u>mween</u>too
with a friend	**com um(a) amigo(-a)** koong oong(<u>oo</u>mah) um<u>mee</u>goo(-ah)
without a passport	**sem passaporte** saym pahsah<u>pawr</u>chi

Is it…?/Are there…? Está…?/Há…?

Is it free of charge?	**É de graça?** eh ji <u>grah</u>sah
It isn't ready.	**Não está pronto.** nung-w i<u>stah</u> <u>pron</u>too
There are showers in the rooms.	**Há chuveiros nos quartos.** ah shoo<u>vay</u>Doos noos <u>kwahr</u>toos
Are there any buses into town?	**Há ônibus [autocarros] para a cidade?** ah <u>on</u>niboos [owtoo<u>kah</u>-hoosh] <u>pah</u>rah si<u>dah</u>ji
There isn't any hot water.	**Não há água quente.** nung-w ah <u>ah</u>gwah <u>ken</u>chi
There aren't any towels.	**Não há toalhas.** nung-w ah too<u>ah</u>lyus
Here it is/they are.	**Aqui está/estão.** ah<u>kee</u> i<u>stah</u>/i<u>stung</u>-w
There it is/they are.	**Ali está/estão.** ah<u>lee</u> i<u>stah</u>/i<u>stung</u>-w

Can/May? Pode?

Can I have…?	**Pode me dar…?**	_paw_ji mi dahr
May we have…?	**Pode nos dar…?**	_paw_ji nooz dahr
Can you show me…?	**Pode me mostrar?** _paw_ji mi moh_strahr_	
Can you tell me…?	**Pode me dizer…?** _paw_ji mi ji_zayr_	
Can you help me?	**Pode me ajudar?** _paw_ji mi ahzhoo_dahr_	
May I help you?	**Posso ajudar?**	_pos_soo ahzhoo_dahr_
Can you direct me to…?	**Pode me dizer onde fica…?** _paw_ji mi ji_zayr_ _on_ji _fee_kah	
I can't.	**Não posso.**	nung-w _pos_soo

What do you want? O que deseja?

I'd like…	**Queria…**	ki_Dee_ah
We'd like…	**Queríamos…**	ki_Dee_ummoos
Give me…	**Dê-me…**	_day_mi
I'm looking for…	**Estou à procura de…** _is_toh ah proh_koo_Dah ji	
I need to…	**Preciso de…** pray_see_zoo ji	
go…	**ir…**	eer
find…	**encontrar…**	inkon_trahr_
see…	**ver…**	vayr
speak to…	**falar com…**	fah_lahr_ koong

– Desculpe! (Excuse me.)
– *Sim? (Yes?)*
– Pode me ajudar? (Can you help me?)
– *Com certeza. (Certainly.)*
– Gostaria de falar com o senhor Sousa.
(I would like to speak to Mr. Sousa.)
– *Um momento, por favor.*
(One moment, please.)

Other useful words
Outras palavras úteis

fortunately	**felizmente** *fayleezmenchi*
hopefully *(God willing)*	**se Deus quiser** *si dayws kizair*
of course	**com certeza** *koong sayrtayzah*
perhaps	**talvez** *towvays*
unfortunately	**infelizmente** *infayleezmenchi*
also/and	**também/e** *tungbayng/ee*
but/or	**mas/ou** *mus/oh*

Exclamations Exclamações

At last!	**Finalmente/Até que enfim!** *feenowmenchi/ahteh kinfeeng*
Go on.	**Continue.** *koncheenooi*
Heck!/Damn!	**Ora!** *awDah*
Good God!	**Meu Deus!** *mayw dayws*
I don't mind.	**Não faz mal.** *nung-w fighs mow*
No way!	**De maneira nenhuma!** *ji munnayDah nennyoomah*
Really?	**Verdade?** *vayrdahji*
Rubbish!	**Bobagem!** *bohbahzhayng*
That's enough.	**Já chega!** *zhah shaygah*
That's true.	**É verdade.** *eh vayrdahji*
Well I never!	**Não acredito!** *nung-w ahkrayjeetoo*
How are things?	**Tudo bem?** *toodoo bayng*
terrific	**Muito bem** *mweentoo bayng*
great	**ótimo** *awchimoo*
not bad	**nada mau/mal** *nahdah mow*
okay	**O.k.** *"okay" (awkay)*
not good	**mal** *mow*
fairly bad	**bastante mau** *bustunchi mow*
terrible	**terrível** *tayheevayw*
awful	**horrível** *oh-heevayw*

Accommodations

Reservations	21	Requirements	26
Reception	22	Renting	28
Price	24	Youth hostel	29
Decisions	24	Camping	30
Problems	25	Checking out	32

All types of accommodations can be found through the tourist information center (**Centro de Informação ao Turista**). Early reservations are essential in most major tourist centers, especially during high season or special events. **Turismo em Área Rural** offers privately owned homes ranging from manor houses (**Turismo de Habitação**) to country houses in a rural setting **TR** (**Turismo Rural**) and farmhouses **AT** (**Agroturismo**).

Hotel ohtehw
In Brazil, where most hotels are regulated by **Embratur**, there are five official categories. In Portugal, hotels are graded from 2 star to 5 star deluxe.

Apart-hotel ahpahrchi-ohtehw
Apartment hotels ranging from 2- to 4-star.

Hotel fazenda ohtehw fah<u>zen</u>dah
Farmhouse lodges, generally equipped with a swimming pool, tennis court, and horseback-riding facilities; comparable to luxury hotels.

Pousada poh<u>zah</u>dah
Usually, lodging are simpler and cheaper than hotel.

Motel moh<u>tehw</u>
In Brazil, mostly intended for couples, with rooms charged by the hour.

Pensão pen<u>sung</u>-w
Corresponds to a boarding house. Usually divided into four categories.

Albergue da juventude ow<u>bair</u>ghi dah zhooven<u>too</u>ji
Youth hostel; there are over 90 in Brazil, and nearly 20 in Portugal. In Brazil, hostels are open to anyone, though members obtain discounts.

Residencial rayzeedenseeow
Bed and breakfast accommodations.

Reservations Reservas

In advance Antecipadas

Can you recommend a hotel in…?	**Pode me recomendar um hotel em…?** _pawji mi haykommendahr oong ohtehw ing_
Is it near the center of town?	**Fica perto do centro da cidade?** _feekah pairtoo doo sentroo dah sidahji_
How much is it per night?	**Quanto é a diária?** _kwuntoo eh ah jeeahDyah_
Is there anything cheaper?	**Há mais barato?** _ah mighs bahDahtoo_
Could you reserve me a room there, please?	**Podia me reservar um quarto lá?** _poojeeah mi hayzayrvahr oong kwahrtoo lah_
How do I get there?	**Como se chega lá?** _kommoo si shaygah lah_

At the hotel No hotel

Do you have any rooms?	**Há quartos vagos?** _ah kwahrtoos vahgoos_
Is there another hotel nearby?	**Há outro hotel perto daqui?** _ah ohtroo ohtehw pairtoo dahkee_
I'd like a single/double room.	**Queria um quarto individual/duplo.** _kayDeeah oong kwahrtoo injividwow/doooploo_
A room with…	**Um quarto com…** _oong kwahrtoo koong_
twin beds	**duas camas** _doo-us kummus_
a double bed	**cama de casal** _kummah ji kahzow_
a bath	**banheiro** _bunnyaDoo_
a shower	**chuveiro** _shoovayroo_

– Há quartos vagos? Queria um quarto duplo.
(Do you have any rooms? I'd like a double room.)
– Desculpe. Nosso hotel está lotado. (Sorry, we're full.)
– Oh! Há outro hotel perto daqui?
(Oh! Is there another hotel nearby?)
– Sim. O Hotel Ambassador é perto daqui.
(Yes, the Ambassador Hotel is nearby.)

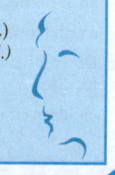

Reception Recepção

I have a reservation.	**Fiz uma reserva.** *feez oomah hayzairvah*
My name is…	**Meu nome é…** *mayw nommi eh*
I confirmed my reservation by mail.	**Mandei uma carta para confirmar a reserva.** *munday oomah kahrtah pahDah konfeermahr ah hayzairvah*
I've reserved a room for two nights	**Tenho um quarto reservado para duas noites.** *ttennyoo oong kwahrtoo hayzayrvahdoo pahDah doo-ush nohychis*
Could we have adjoining rooms?	**Os quartos podem ser juntos?** *oos kwahrtoos pawdayng sayr zhoontoos*

Amenities and facilities Instalações e serviços

Is there (a)… in the room?	**O quarto tem…?** *oo kwahrtoo tayng*
air conditioning	**ar-condicionado** *ahr konjeesyonnahdoo*
TV/telephone	**TV/telefone** *tayvay/taylayfonni*
Cable TV	**TV a cabo** *tayvay ah kahboo*
Does the hotel have a(n)…?	**O hotel tem…?** *oo ohtehw tayng*
fax service	**serviço de fax** *sayrveesoo ji fahks*
internet conection	**conexão com a internet** *konnayksung-w koong ah intayrnetchi*
laundry service	**serviço de lavanderia** *sayrveesoo ji lahvundayDeeah*
sauna	**sauna** *sownah*
swimming pool	**piscina** *peeseenah*
Could you put… in the room?	**Podia pôr… no quarto?** *poojeeah pohr… noo kwahrtoo*
an extra bed	**outra cama** *ohtrah kummah*
a crib [child's cot]	**um berço** *oong bayrsoo*
Do you have facilities for…	**Há instalações para…?** *ah instahlahsoyngs pahDah*
children/the disabled	**crianças/deficientes** *kri-unsus/dayfeesee-enchis*

How long...? Quanto tempo...?

We'll be staying...	**Ficamos...** *feekummoos*
overnight only	**só esta noite** *saw estah nohychi*
a few days	**alguns dias** *owgoonz jee-us*
a week (at least)	**(pelo menos) uma semana** *(payloo mennoos) oomah semmunnah*
I'd like to stay an extra night.	**Queria ficar mais uma noite.** *kayDeeah feekahr mighz oomah nohychi*

– Boa tarde. Meu nome é John Newton.
(Good afternoon. My name is John Newton.)
– Boa tarde, senhor Newton. (Good afternoon, Mr. Newton.)
– Queria ficar duas noites.
(I'd like to stay for two nights.)
– Ah, sim. Preencha esta ficha, por favor.
(Oh yes. Please fill out this form.)

Posso ver seu passaporte?	May I see your passport, please?
Preencha esta ficha, por favor.	Please fill out this form.
Assine aqui, por favor.	Please sign here.
Qual é a placa [matrícula] do seu carro?	What is your [registration] license plate number?

SÓ QUARTO...	room only...
REAIS [EUROS]	reais [euros]
CAFÉ DA MANHÃ [PEQUENO ALMOÇO] INCLUSO	breakfast included
SERVEM-SE REFEIÇÕES	meals available
NOME	first name
SOBRENOME [APELIDO]	last name
ENDEREÇO [MORADA]/ RUA/N.º	home address/street/ number
NACIONALIDADE/PROFISSÃO	nationality/profession
DATA/LUGAR DE NASCIMENTO	date/place of birth
ORIGEM/DESTINO	coming from/going to
NÚMERO DO PASSAPORTE	passport number
PLACA [MATRÍCULA] DO AUTOMÓVEL	Registration [license plate] number
LUGAR/DATA	place/date (of signature)
ASSINATURA	signature

Price Preço

How much is it...?	**Quanto é...?** kwuntoo eh
per night/week	**a diária/por semana** ah jee-ahDyah/poor semmunnah
for bed and breakfast	**a cama avulsa** ah kummah ahvoo-sah **o café da manhã [pequeno almoço]** oo kahfeh dah mung-nyung [pikenoo owmohsoo]
excluding meals	**sem refeições** sayng hayfaysoyns
for full board (American Plan [A.P.])	**com pensão completa (P.C.)** koong pensung-w komplettah
for half board (Modified American Plan [M.A.P.])	**com meia pensão (M.P.)** koong mayah pensung-w
Does the price include...?	**O preço inclui...?** oo praysoo inklooi
breakfast	**café da manhã [pequeno almoço]** kahfeh dah mung-nyung [pikenoo owmohsoo]
service	**serviço** sayrveesoo
sales tax [VAT]	**taxas** tahshus
Do I have to pay a deposit?	**Tenho que deixar um sinal?** tennyoo ki dayshahr oong seenow
Is there a reduction for children?	**Há desconto para crianças?** ah jiskontoo pahDah kri-unsus

Decisions Decisões

May I see the room?	**Posso ver o quarto?** possoo vayr oo kwahrtoo
That's fine. I'll take it.	**Está bem. Fico com ele.** istah bayng. feekoo koong ayli
It's too...	**É muito...** eh mweentoo
cold/hot	**frio/quente** freeoo/kenchi
dark/small	**escuro/pequeno** iskooDoo/pikennoo
noisy	**barulhento** bahDoolyentoo
Do you have anything...?	**Tem alguma coisa...?** tayng owgoomah kohyzah
bigger/cheaper	**maior/mais barata** migh-awr/mighs bahDahtah
quieter/warmer	**mais sossegada/mais quente** mighs soosaygahdah/mighs kenchi
No, I won't take it.	**Não fico com ele.** nung-w feekoo koong ayli

Problems Problemas

The… doesn't work.	**… não funciona.**
	… nung-w foonsyonnah
air conditioning	**O ar-condicionado**
	oo ahr konjeesyonnahdoo
fan	**O ventilador [a ventoinha]**
	oo venchilahdohr [vuntoo-eenyuh]
heat [heating]/light	**O aquecimento/A luz**
	oo ahkaysimentoo/ah loos
television	**A televisão** *ah taylayveezung-w*
I can't turn the heat [heating] on/off.	**Não consigo ligar/desligar o aquecimento.** *nung-w konseegoo leegahr/jizleegahr oo ahkaysimentoo*
There is no hot water/ toilet paper.	**Não há água quente/papel higiênico.** *nung-w ah ahgwah kenchi/pahpaiw eezhyennikoo*
The faucet [tap] is dripping.	**A torneira está pingando.** *ah tohrnayDah istah pingundoo*
The sink is blocked.	**A pia [o lavatório] está entupida/o.** *ah pee-ah [luhvuhtawDyoo] istah intoopeedah/oo*
The window/door is jammed.	**A janela/porta está emperrada.** *ah zhunnellah/pawrtah istah impuh-hahduh*
My room has not been made up.	**Meu quarto não foi arrumado.** *Mayw kwahrtoo nung-w fohy ah-hoomahdoo*
The… is broken.	**… está quebrado (-a).** *istah kaybrahdoo (-ah)*
blind	**A persiana** *ah payrsi-unnah*
lamp	**O abajur [candeeiro]** *oo ahbahzhoor [kundi-ayDoo]*
lock	**a fechadura** *ah fayshahdooDah*
There are insects in our room.	**Há insetos no quarto.** *ah insettoos noo kwahrtoo*

Action Ação

Could you have that taken care of?	**Podia mandar arrumar [arrajnar] isso?** *poojeeah mundahr ah-hoomahr eesoo*
I'd like to move to another room.	**Queria mudar de quarto.** *kiDeeah moodahr ji kwahrtoo*
I'd like to speak to the manager.	**Queria falar com o/a gerente.** *kiDeeah fahlahr koong oo/ah zhayDenchi*

Requirements Perguntas gerais

The electrical current in Brazil is not completely standardized. Most of Brazil, including Rio de Janeiro and São Paulo, are 110 or 120V, 60 Hz AC. The 220-volt, 50-cycle AC is the norm throughout Portugal. If you bring your own electrical appliances, buy an adapter plug (round pins, not square) before leaving home.

About the hotel Sobre o hotel

Where's the…?	**Onde fica…?** _onji_ _feekah_
bar	**o bar** _oo bahr_
dining room	**a sala de jantar** _ah_ _sahlah ji zhuntahr_
elevator [lift]	**o elevador** _oo aylayvahdohr_
parking lot [car park]	**o estacionamento** _oo istahsyonnahmentoo_
shower room	**o chuveiro** _oo shoovayDoo_
swimming pool	**a piscina** _ah peeseenah_
TV room	**a sala de televisão** _ah_ _sahlah ji taylayveezung-w_
restroom	**o banheiro [a casa de banho]** _oo bunnyayDoo [ah kahzah ji bunyoo]_
tour operator's bulletin board	**o quadro de avisos das agências turísticas** _oo_ _kwahdroo ji ahveezoos dahz ahzhensyus tooDeeshikus_
What time is the door locked?	**A que horas fecham a porta?** _ah kee awDus feshung-w ah pawrtah_
What time is breakfast served?	**A que horas servem o café da manhã [o pequeno almoço]?** _ah kee awDus sairvayng oo kahfeh dah mung-nyung [pikenoo awmohsoo]_
Is there room service?	**Há serviço de quarto?** _ah sayrveesoo ji kwahrtoo_

TECLE… PARA OBTER UMA LINHA EXTERNA	dial… for an outside line
NÃO INCOMODAR	do not disturb
SAÍDA DE EMERGÊNCIA	emergency exit
SAÍDA DE INCÊNDIO	fire door
SÓ APARELHOS DE BARBEAR	razors [shavers] only

Personal needs Necessidades pessoais

The key to room…, please.	**A chave do quarto…, por favor.** ah <u>shah</u>vi doo <u>kwahr</u>too… poor fah<u>vohr</u>
I've lost my key.	**Perdi minha chave.** payr<u>jee</u> <u>mee</u>nyah <u>shah</u>vi
I've locked myself out of my room.	**Tranquei a porta e fiquei para fora do quarto.** trun<u>kay</u> ah <u>pawr</u>tah ee fee<u>kay</u> <u>pah</u>Dah <u>faw</u>Dah doo <u>kwahr</u>too
Could you wake me at…?	**Podia me acordar às…?** poo<u>jee</u>ah mi ahkor<u>dahr</u> ahs
I'd like breakfast in my room.	**Queria o café da manhã [pequeno-almoço] no quarto.** ki<u>Dee</u>ah oo kah<u>feh</u> dah mung-<u>nyung</u> [pi<u>kee</u>noo aw<u>moh</u>soo] noo <u>kwahr</u>too
Can I leave this in the safe?	**Posso deixar isto no cofre?** <u>pos</u>soo day<u>shahr</u> <u>ees</u>too noo <u>kof</u>fri
Could I have my things from the safe?	**Queria tirar minhas coisas do cofre.** ki<u>Dee</u>ah tee<u>Dahr</u> <u>mee</u>nyus <u>kohy</u>zuz doo <u>kof</u>fri
Could you contact our tour representative?	**Podia contatar nosso guia turístico?** poo<u>jee</u>ah kontah<u>tahr</u> <u>nos</u>soo <u>ghee</u>ah too<u>Dees</u>-chikoo
Where can I find a…?	**Onde posso encontrar…?** <u>on</u>ji <u>pos</u>soo inkon<u>trahr</u>
maid	**a camareira** ah kummah<u>Day</u>Dah
bellman [porter]	**o porteiro** oo pohr<u>tay</u>Doo
May I have a/some…?	**Pode me dar…?** <u>paw</u>ji mi dahr
bath towel	**uma toalha de banho** <u>oo</u>mah <u>twah</u>lyah ji <u>bun</u>nyoo
blanket	**um cobertor** oong kohbayr<u>tohr</u>
hangers	**cabides** kah<u>bee</u>jis
pillow	**um travesseiro [uma almofada]** oong trahvi<u>say</u>Doo
soap	**um sabonete** oong sahboh<u>nay</u>chi
Is there any mail for me?	**Há correspondência [correio] para mim?** aah koh-hespon<u>den</u>syah [koh-hayoo] <u>pah</u>Dah meeng
Are there any messages for me?	**Há alguma mensagem para mim?** ah ow<u>goo</u>mah men<u>sah</u>zhayng <u>pah</u>Dah meeng

BREAKFAST ➤ 43; CHANGING MONEY ➤ 138

Renting Aluguel

We've reserved an apartment in the name of…	**Reservamos um apartamento em nome de…** hayzayr<u>vum</u>mooz oong ahpahrtah<u>men</u>too ing <u>nom</u>mi ji
Where do we pick up the keys?	**Aonde vamos pegar as chaves?** <u>aon</u>ji <u>vum</u>moos pay<u>gahr</u> us <u>shah</u>vis
Where is the…?	**Aonde fica…?** <u>aon</u>ji <u>fee</u>kah
electric meter/fuse box	**o relógio de luz/a caixa de fusíveis** oo hay<u>law</u>zhyoo ji loos/ah <u>kigh</u>shah ji foo<u>zee</u>vays
water heater	**o aquecedor** oo ahkaysay<u>dohr</u>
Are there any spare…?	**Há mais…?** ah mighs
fuses/gas bottles	**fusíveis/botijões [botijas] de gás** foo<u>zee</u>vays/boo<u>zhoyn</u>gz [boo<u>tee</u>zhush] ji gahz
sheets	**lençóis** len<u>soys</u>
Which day does the maid come?	**Em que dia vem a faxineira?** aing ki <u>jee</u>-ah vayng ah fahshee<u>nay</u>Dah
Where/When do I put out the trash?	**Onde/Quando ponho o lixo lá fora?** <u>onji/kwun</u>doo <u>pon</u>nyoo oo <u>lee</u>shoo lah <u>faw</u>Dah
Is the cost of electricity included?	**A despesa com energia está incluída?** ah ji<u>spay</u>zah koong ennayr<u>zhee</u>ah i<u>stah</u> inkloo<u>ee</u>edah

Problems Problemas

Where can I contact you?	**Onde posso contatá-lo?** <u>onji pos</u>soo kontah<u>tah</u>-loo
How does the stove [cooker]/water heater work?	**Como funciona o fogão/aquecedor [esquentador]?** <u>kom</u>moo foonsy<u>on</u>nah oo foo<u>gung</u>-w/ahkaysay<u>dohr</u> [ishkayntuh<u>dohr</u>]
The… is dirty.	**… está sujo(-a).** … i<u>stah soo</u>zhoo(-ah)
The… has broken down.	**… está quebrado(-a).** … i<u>stah</u> kay<u>brah</u>doo(-ah)
We accidentally broke/lost…	**Quebramos/Perdemos sem querer…** kay<u>brum</u>moos/payr<u>dem</u>moos sayng kay<u>Dayr</u>
That was already damaged when we arrived.	**Isso já estava quebrado quando chegamos.** <u>ees</u>soo zhah i<u>stah</u>vah kay<u>brah</u>doo <u>kwun</u>doo shay<u>gum</u>moos

HOUSEHOLD ARTICLES ➤ 148

Useful terms Vocabulário útil

boiler	**o caldeirão** *oo kowday<u>Dung</u>-w*
dishes [crockery]	**a louça** *ah <u>loh</u>sah*
freezer	**o freezer [arca frigorífica]** *oo <u>free</u>zayr [<u>ahr</u>kuh freegoo<u>Dee</u>fikuh]*
frying pan	**a frigideira** *ah freezhee<u>day</u>Dah*
kettle	**a chaleira** *ah shah<u>lay</u>Dah*
refrigerator	**a geladeira [o frigorífico]** *ah zhaylah<u>day</u>Dah [oo freegoo<u>Dee</u>fikoo]*
saucepan	**a panela [a caçarola]** *ah pun<u>nell</u>ah [ah kuh-suh<u>Daw</u>luh]*
stove [cooker]	**o fogão** *oo foh<u>gung</u>-w*
toaster	**a torradeira** *ah toh-hah<u>day</u>Dah*
utensils [cutlery]	**os talheres** *oos tah<u>lyeh</u>Dis*
washing machine	**a máquina de lavar (roupa)** *ah <u>mah</u>kinah ji lah<u>vahr</u> (<u>hoh</u>pah)*

Rooms Quartos

balcony	**a varanda** *ah vah<u>Dun</u>dah*
bathroom	**o banheiro [a casa de banho]** *oo bun<u>nyay</u>Doo [ah <u>kah</u>zah ji <u>bun</u>yoo]*
bedroom	**o quarto** *oo <u>kwahr</u>too*
dining room	**a sala de jantar** *ah <u>sah</u>lah ji zhun<u>tahr</u>*
kitchen	**a cozinha** *ah koo<u>zee</u>nyah*
living room	**a sala de estar** *ah <u>sah</u>lah ji<u>stahr</u>*

Youth hostel Albergue da juventude

Do you have any places left for tonight?	**Ainda há vagas para hoje à noite?** *ah-<u>een</u>dah ah <u>vah</u>gus pah<u>Dah</u> <u>oh</u>zhi ah <u>noh</u>ychi*
Do you rent out bedding?	**Vocês alugam roupa de cama?** *voh<u>sayz</u> ah<u>loo</u>gung-w <u>hoh</u>pah ji <u>kum</u>mah*
What time are the doors locked?	**A que horas fecham as portas?** *ah kee <u>aw</u>Dus <u>fe</u>shung-w us <u>pawr</u>tus*
I have an International Student Card.	**Tenho uma Carteira [cartão] Internacional de Estudante.** *<u>en</u>nyoo oomah kur<u>tay</u>Dah [oong kahr<u>tung</u>-w] intayrnahsyon<u>now</u> jistoo<u>dun</u>chi*

Camping Camping [campismo]

Most Brazilian and Portuguese campsites are within easy reach of the beach. They range from basic grounds to vast recreational centers with all amenities. You must register with your passport. Certain sites require membership of a national or international camping association. The **Guia Quatro Rodas** camping guide provides details of facilities throughout Brazil.

Registration Registro

Is there a campsite near here?	**Há um camping [parque de campismo] aqui perto?** ah oong _kum_ping [_pahr_kuh duh kump_eez_hmoo] ah_kee pair_too
Do you have space for a tent?	**Há lugar para uma barraca [tenda]?** ah loo_gahr_ pah_Dah oomah bah-_hah_kah [_tayn_duh]
Do you have space for a trailer [caravan]?	**Há lugar para um trailer [uma rulote]?** ah loo_gahr_ pah_Dah oong _tray_layr [oomuh roolaw_tuh]
What is the charge…?	**Qual é a tarifa…?** kwow eh ah tah_Dee_fah
per day/week	**por dia/semana** poor _jee_-ah/semm_unn_ah
for a tent/car	**por barraca [tenda]/carro** poor bah-_hah_kah [_tayn_duh]/_kah_-hoo
for a trailer [caravan]	**por trailer [rulote]** poor _tray_layr [roolaw_tuh]

Facilities Serviços

Are there cooking facilities on site?	**Há uma área para cozinhar?** ah _oo_mah ah_Dyah pah_Dah koozee_nyahr
Are there any electrical outlets [power points]?	**Há electricidade?** ah aylaytrisi_dah_ji
Where is/are the…?	**Onde tem/estão…?** _on_ji tayng/istung-w
drinking water	**água potável** _ahg_wah poh_tah_vayw
trash cans [dustbins]	**as lixeiras** us lee_shay_Dus
laundry facilities	**uma lavanderia** _oo_mah lahvunday_Dee_ah
showers	**o chuveiro** oo shoo_vay_Doo
Where can I get some butane gas?	**Onde posso arranjar gás?** _on_ji _pos_soo ah-hunz_hahr_ gahs

É PROIBIDO ACAMPAR	no camping
ÁGUA POTÁVEL	drinking water
É PROIBIDO ACENDER FOGOS	no fires/barbecues

Complaints Reclamações

It's too sunny.	**Aqui há muito sol.** *ahkee ah mweentoo saw-w*
It's too shady/crowded here.	**Aqui há muita sombra/gente.** *ahkee ah mweentah sombrah/ zhenchi*
The ground's too hard/ uneven.	**O solo é muito duro/acidentado.** *oo solloo eh mweentoo dooDoo/ ahseedentahdoo*
Do you have a more level spot?	**Há um lugar mais plano?** *ah oong loogahr mighs plunnoo*
You can't camp here.	**Não pode acampar aqui.** *nung-w pawji ahkumpahr ahkee*

Camping equipment Material de camping [campismo]

butane gas	**o gás** *oo gahs*
campbed	**o colchonete/o saco de dormir** *oo kohshonnetchi/oo sahkoo ji doormeer*
charcoal	**o carvão** *oo kahrvung-w*
compass	**a bússola [o compasso]** *ah boosohlah [oo koompah-soo]*
firelighters	**os acendedores** *ooz ahsendaydohDis*
flashlight [torch]	**a lanterna** *ah luntairnah*
guy rope	**a corda de firmar (da barraca [de tenda])** *ah kawrdah ji feermahr (dah bah-hahkah [taynduh])*
hammer	**o martelo** *oo mahrtelloo*
knapsack	**o mochila** *ah moosheelah*
matches	**os fósforos** *oos fosfohDoos*
(air) mattress	**o colchão inflável** *oo kohshung-w inflahvayw*
sleeping bag	**o colchonete/o saco de dormir** *oo sakoo der doormeer*
tarpaulin	**plástico de estender no chão** *oo plahs-chikoo jistendayr noo shung-w*
tent	**barraca [tenda]** *ah bah-hahkah [taynduh]*
tent pegs	**as cavilhas** *us kahveelyus*
tent pole	**as estacas metálicas** *uz istahkuz maytahlikus*

Checking out Partida

What time do we have to check out?	**A que horas encerra a diária?** ah kee _aw_Dus in_sai_-hah ah jee_ah_Dyah
Could we leave our baggage here until…?	**Podemos deixar a bagagem aqui até às…?** pohdem_moos days_hahr_ ah bah_gah_zhayng ah_kee_ ahteh us
I'm leaving now.	**Estou de partida.** istoh ji pahr_chee_dah
Could you call me a taxi, please?	**Pode me chamar um táxi, por favor.** poh_de_ mi oong _tah_xi poor fah_vohr_
It's been a very enjoyable stay.	**Foi uma estada muito agradável.** fohy _oo_mah istahdah m_ween_too ahgrah_dah_vayw

Paying Pagamento

May I have my bill, please?	**Queria a conta, por favor.** ki_Dee_ah ah _kon_tah poor fah_vohr_
I think there's a mistake on this bill.	**Creio que houve um erro na conta.** _kray_oo ki si ingun_noh_ nah _kon_tah
I've made… telephone calls.	**Fiz… telefonemas.** fees… taylayfon_nem_mus
I've taken… from the minibar.	**Tirei… do frigobar [minibar].** chi_Day_… doo freegoh_bahr_ [meeni_bahr_]
Can I have an itemized bill?	**Pode me dar uma conta detalhada?** _paw_ji mi dahr _oo_mah _kon_tah daytah_lyah_dah
Could I have a receipt?	**Queria nota [uma factura].** ki_Dee_ah _oo_mah _naw_tah [_oo_muh fah_too_Duh]

Tipping: a service charge is generally included in hotel and restaurant bills. However, if the service has been particularly good, you may want to leave an extra tip. The following chart is a guide:

	Brazil	Portugal
Bellman, per bag	R$ 0.35–0.50	€ 0.50
Hotel maid, per week	R$ 5	€ 3
Restroom attendant	R$ 0.50–1	€ 0.20
Waiter	10%	10%

TIME ➤ 220

Eating Out

Restaurants	33	Soups/Salads	44
Brazilian/Portuguese cuisine	34	Fish/Seafood	45
		Meat/poultry	46
Finding a place to eat	35	Vegetables/Fruit	47
Reserving a table	36	Cheese	48
Ordering	37	Desserts/Pastries	48
Fast food/Café	40	Drinks	49
Complaints	41	Aperitifs/Beer	49
Paying	42	Wine	49
Course by course	43	Spirits/Liqueurs	51
Breakfast	43	Non-alcoholic drinks	51
Appetizers/Starters	43	Menu Reader	52

Restaurants   Restaurantes

In Brazil, don't miss the **churrascarias**, restaurants specializing in excellent barbecues. In Portugal, most distinctive are the **pousadas** and **casas de fados** or **adegas típicas**, the little restaurants where you eat or drink to the sound of the **fado**, the national folk song.

Adega ah<u>dai</u>guh
Typical small Portuguese restaurant; you may be treated to **fado** singing (Portugal).

Barzinho bahr<u>zeen</u>yoo
Coffee shop and bar, where hot and cold drinks are served; you should be able to get a snack there.

Cantina kun<u>chee</u>nah
Restaurant, specializing in Italian cuisine.

Cervejaria sayrvayzhah<u>Dee</u>ah
A beerhouse where you can drink beer and eat snacks.

Churrascaria shoo-hahskah<u>Dee</u>ah
Restaurant, specialized in barbecues and grills.

Comida por quilo/Bufê koo<u>mee</u>dah poor <u>kee</u>loo/boo<u>fay</u>
Kind of restaurant open only at lunchtime, serving a varied buffet of salads, meat, vegetables, and fruits; you pay by the weight of your plate.

Café *Kahfeh*
A pastry shop, also serving coffee, tea, and other drinks.

Pousada *pohzahdah*
Privately owned inn; located near places of interest to tourists.

Restaurante *haystowrunchi*
According to the cuisine and standard of service: **de luxo** (luxury), **de primeira**, **de segunda** or **de terceira classes** (first, second or third classes).

Rodízio *hohjeezyoo*
A **churrascaria** where you pay a fixed price and eat as much as you want (*Braz.*).

Meal times Horário das refeições

o café da manhã [pequeno-almoço] *oo kahfeh dah mung-nyung*
Breakfast (known as **café da manhã** – *kahfeh dah mahnyah* in Brazil and **pequeno-almoço** [*pikenoo owmohsoo*] in Portugal) is usually served from 7 to 10 a.m. In Brazil, the addition of fresh fruit juice, fruit, toast, and pastry make a heartier meal. In Portugal it consists of coffee, rolls, butter, and jam.

o almoço *oo owmohsoo*
Lunch is the main meal of the day, served from 12:30 to 2:30 p.m. In Brazilian resorts, it is often served uninterruptedly from 12:30 till evening. It generally consists of soup, fish or meat, and a dessert; salad might replace soup in Brazil.

o jantar *oo zhuntahr*
Dinner is served from about 7:30 to 9:30 p.m., except in a Portuguese **casa de fado**, where the show is likely to start around 10 p.m. In Brazil dinner is from 8 to 11 p.m.

Brazilian/Portuguese cuisine Cozinha brasileira/portuguesa

Brazilian cuisine has adopted many elements from Portugal, refined with the use of spices and exotic fruit, and a greater variety of barbecued meat. Most Portuguese and Brazilian restaurants display a menu (**ementa** or **cardápio**). A **prato do dia** (dish of the day) usually offers a good meal at a fair price.

Portuguese cuisine may not be the most sophisticated, although there is no shortage of freshly picked vegetables and fruit, and fish and seafood straight from the sea. **Bacalhau**, dried cod, served with boiled potatoes, remains the favorite national dish, follwed by custards and all kinds of pastries. Pork comes in many guises as do chicken and veal.

ESSENTIAL

A table for…	**Uma mesa para…** *oomah mayzah pahDah*
1/2/3/4	**um(a)/dois/três/quatro** *oong(oomah)/dohys/trays/kwahtroo*
Thank you.	**Obrigado(-a).** *ohbreegahdoo(-ah)*

Finding a place to eat Onde comer?

Can you recommend a restaurant?	**Pode me indicar um restaurante?** *pawji minjikahr oong haystowDunchi*
Is there a(n)… near here?	**Há… perto daqui?** *ah… pairtoo dahkee*
traditional local restaurant	**um restaurante com especialidades regionais** *oong haystowDunchi koong ispaysyahlidahjis hayzhyonnighs*
Chinese restaurant	**um restaurante chinês** *oong haystowDunchi shinays*
fish restaurant	**um restaurante de frutos do mar** *oong haystowDunchi ji frootooz doo mahr*
inexpensive restaurant	**um restaurante barato** *oong haystowDunchi bahDahtoo*
Italian restaurant	**um restaurante italiano** *oong haystowDunchi eetahlyunnoo*
vegetarian restaurant	**um restaurante vegetariano** *oong haystowDunchi vayzhaytahDyunnoo*
Where can I find a(n)…?	**Onde posso encontrar…?** *onji possoo inkontrahr*
burger stand	**uma lanchonete** *oomah lunshonnetchi*
café (with a terrace)	**um café com mesa na calçada** *oong kahfeh koong mayzah nah kow-sahdah*
fast-food restaurant	**um restaurante fast food** *oong haystowDunchi feschi fooji*
ice cream parlor	**uma sorveteria** *oomah sohrvaytayDeeah*
pizzeria	**uma pizzaria** *oomah peetsahDeeah*

DIRECTIONS ➤ 94

Reserving a table Reservas

I'd like to reserve a table…	**Queria reservar uma mesa** ki<u>Dee</u>ah hayzayr<u>vah</u>r <u>oo</u>mah <u>may</u>zah
for today at…	**para hoje às…** pah<u>Dah</u> <u>oh</u>zhi us
for two	**para dois** pah<u>Dah</u> dohys
We'll come at 8:00.	**Vamos às oito.** <u>vum</u>mooz ahz <u>oh</u>ytoo
A table for two.	**Uma mesa para dois.** <u>oo</u>mah <u>may</u>zah pah<u>Dah</u> dohys
We have a reservation.	**Fizemos uma reserva.** fee<u>zem</u>mooz <u>oo</u>mah hay<u>zair</u>vah

Em nome de quem?	What's the name, please?
Desculpe, mas não há mesa disponível.	I'm sorry. We don't have a free table.
Temos uma mesa livre daqui a… minutos.	We'll have a free table in… minutes.
Volte(m) daqui a… minutos.	Please come back in… minutes.

Where to sit Onde se sentar?

Could we sit…?	**Podemos nos sentar…?** poh<u>dem</u>moos noos sent<u>ah</u>r
over there/outside	**ali/lá fora** ah<u>lee</u>/lah <u>faw</u>Dah
in the non-smoking area	**na área para não-fumantes** nah <u>ah</u>Dyah pah<u>Dah</u> nung-w foo<u>mun</u>chis
by the window	**do lado da janela** doo <u>lah</u>doo dah zhun<u>nel</u>lah

– Queria reservar uma mesa para hoje.
(I'd like to reserve a table for today.)
– *Para quantas pessoas?* (For how many people?)
– Quatro. (Four.)
– *Para que horas?* (For what time?)
– Para as oito. (We'll come at 8.)
– *E em nome de quem?* (And what's the name?)
– Evans. (Evans.)
– *Está bem. Até logo.* (OK. See you later.)

TIME ➤ 220; NUMBERS ➤ 216

Ordering Fazendo os pedidos

Waiter!/Waitress!	**Garçom!/Garçonete!**
	gahrsong/gahrsonnetchi
May I see the wine list, please?	**A carta de vinhos, por favor.**
	ah kahrtah ji veenyoos poor fahvohr
Do you have a set menu?	**Tem cardápio [ementa]?**
	tayng kahrdahpyoo [uhmayntuh]
Can you recommend some typical local dishes?	**Pode me indicar alguns pratos regionais?**
	pawji minjikahr owgoons prahtoos hayzhyonnighs
Could you tell me what… is?	**Pode me dizer o que é…?**
	pawji mi jeezayr oo kee eh
What's in it?	**Tem/Leva o quê?** *tayng/lehvah oo kay*
What kind of… do you have?	**Que tipo de… tem?**
	ki cheepoo ji… tayng
I'd like…	**Queria…** *kiDeeah*
a bottle/glass/carafe of…	**uma garrafa/uma taça/jarra de…**
	oomah gah-hahfah/oomah tahsah/jah-hah ji

Deseja(m) pedir?	Are you ready to order?
O que deseja(m)?	What would you like?
Gostaria(m) de uma bebida primeiro?	Would you like to order drinks first?
Recomendo…/Não temos…	I recommend…/We don't have…
Isso leva/demora… minutos.	That will take… minutes.
Bom apetite!	Enjoy your meal.

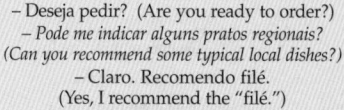

– Deseja pedir? (Are you ready to order?)
– Pode me indicar alguns pratos regionais?
(Can you recommend some typical local dishes?)
– Claro. Recomendo filé.
(Yes, I recommend the "filé.")
– Está bem. Quero isso. (Good, I'll have that.)
– Certo. E para beber?
(Certainly. And what would you like to drink?)
– Uma garrafa de vinho da casa. (A carafe of house red wine.)
– Pois não. (Certainly.)

Accompaniments   Acompanhamentos

Could I have… without the…?	**Podia me trazer… sem…?** *poojeeah mi trahzayr… sayng*
With a side order of…	**Com… à parte?** *koong… ah pahrchi*
May I have salad instead of vegetables, please?	**Pode ser salada em vez de legumes, por favor?** *pawji sayr sahlahdah ing vayz ji laygoomis poor fahvohr*
Does the meal come with vegetables/potatoes?	**Vem com legumes/batatas?** *vayng koong laygoomis/bahtahtus*
Do you have any sauces?	**Tem molhos?** *tayng mohlyoos*
I'd like… with that.	**Queria… para acompanhar.** *kiDeeah… pahDah ahkompunnyahr*
vegetables/salad	**legumes/salada** *laygoomis/sahlahdah*
potatoes/fries	**batatas/batatas fritas** *bahtahtus/bahtahtus freetus*
sauce	**molho** *mohlyoo*
ice	**gelo** *zhayloo*
May I have some…?	**Pode me trazer…?** *pawji mi trahzayr*
bread	**pão** *pung-w*
butter	**manteiga** *muntaygah*
lemon	**limão** *leemung-w*
mustard	**mostarda** *mohstahrdah*
olive oil	**azeite** *ahzaychi*
pepper	**pimenta** *peementah*
salt	**sal** *sow*
seasoning	**tempero** *tempayDoo*
sugar	**açúcar** *ahsookahr*
(artificial) sweetener	**adoçante** *ahdohsunchi*
vinegar	**vinagre** *veenahgri*

General requests Pedidos gerais

Could I have a (clean)…, please?	**Pode me trazer… (limpo/-a) por favor?** *pawji mi trahzayr poor fahvohr*
ashtray	**um cinzeiro** *oong seenzayDoo*
cup/glass	**uma xícara [chávena]/um copo** *oomah sheekahDah [shahvuhnuh]/ oong koppoo*
fork/knife	**um garfo/uma faca** *oong gahrfoo/oomah fahkah*
spoon/plate	**uma colher/um prato** *oomah koolyair/oong prahtoo*
napkin	**um guardanapo** *oong gwahrdunnahpoo*
I'd like some more…, please.	**Queria mais…, por favor.** *kiDeeah mighs… poor fahvohr*
Nothing more, thanks.	**Mais nada, obrigado(-a).** *mighz nahdah ohbrigahdoo(-ah)*
Where are the restrooms [toilets]?	**Onde fica o toalete [a casa de banho]?** *onji feekah oo twahletchi [ah kahzah ji bunyoo]*

Special requirements Pedidos especiais

I can't eat food containing…	**Não posso comer alimentos que contenham…** *nung-w possoo kommayr ahleementoos ki kontennyung-w*
salt/sugar	**sal/açúcar** *sow/ahsookahr*
Do you have meals/drinks for diabetics?	**Tem pratos/bebidas para diabéticos?** *taym prahtoos/baybeedus pahDah jahbetchikoos*
Do you have vegetarian meals?	**Tem pratos vegetarianos?** *taym prahtoos vayzhaytahDyunnoos*

For the children Para as crianças

Do you have children's portions?	**Tem porções [doses] para crianças?** *taym pohrsoyns [dawzeesh] pahDah kri-unsus*
Could we have a child's seat, please?	**Pode trazer uma cadeirinha de criança?** *pawji trahzayr oomah kahdayDeenyah ji kri-unsah*
Where can I feed/ change the baby?	**Onde posso alimentar/trocar o bebê?** *onji possoo ahleementahr/trohkahr oo baybay*

CHILDREN ➤ 113

Fast food/Café
Refeições rápidas/Café

Something to drink Para beber

I'd like…	**Queria…** _kiDeeah_
beer	**uma cerveja** _oomah sayrvayzhah_
coffee/tea/chocolate	**um café/um chá/um chocolate** _oong kahfeh/oong shah/oong shohkohlahchi_
black/with milk	**um cafezinho puro [uma bica]/com leite [um garoto]** _oong kahfehzeenyoo pooDoo [oomuh beekuh]/koong laychi [cong gahDohtoo]_
cola/lemonade	**um refrigerante [uma cola]/uma limonada** _oong rerfrizheranti [oomuh kawluh]/oomer leemoonader_
fruit juice	**um suco [sumo] de frutas** _oong sookoo [soomoo] ji frootus_
mineral water	**uma água mineral** _oomah ahgwah meenayDow_
(a glass of) red/white wine	**(uma taça de) vinho tinto/branco** _(oomah tahsah ji) veenyoo cheentoo/brunkoo_

And to eat E para comer

A piece of…	**Uma fatia de…** _oomah fah-cheeah ji_
I'd like two of those.	**Queria dois desses.** _kiDeeah dohys daysis_
burger/fries	**um hambúrguer/batatas fritas** _oong umboorgayr/bahtahtus freetus_
sandwich/cake	**um sanduíche [uma sandes]/um bolo** _oong sundoo-eeshi [oomuh sundush]/oong bohloo_
A… ice cream, please.	**Um sorvete de…, por favor** _oong sohrvaychi ji…, poor fahvohr_
chocolate/strawberry/vanilla	**chocolate/morango/baunilha** _shohkohlahchi/mohDungoo/bowneelyah_
A… portion	**Uma porção [dose]…** _oomah pohrsung-w [dawzee]_
small/regular [medium]/large	**pequena/média/grande** _pikennah/maijah/grun_
It's to take out.	**É para levar/viagem.** _eh pahDah layvahr/veeahzhayng_
That's all, thanks.	**Só isso, obrigado(-a).** _saw eesoo ohbrigahdoo(-ah)_

OTHER DRINKS ➤ 49–51

– Que desejam? (What would you like?)
– *Dois cafés, por favor.* (Two coffees, please.)
– Com leite ou sem? (With or without milk?)
– *Com leite, por favor.* (With milk, please.)
– Mais alguma coisa? (Anything else?)
– *É só, obrigado.* (That's all, thanks.)

Complaints Reclamações

I have no knife/fork/spoon.	**Não tenho faca/garfo/colher.** nung-w <u>ten</u>nyoo <u>fah</u>kah/<u>gahr</u>foo/kool<u>yair</u>
There must be some mistake.	**Deve haver algum engano.** <u>deh</u>vi ah<u>vayr</u> ow<u>goong</u> in<u>gun</u>noo
That's not what I ordered.	**Não pedi [encomendei] isso.** nung-w [unkoomun<u>day</u>] pee<u>jee</u> <u>ee</u>soo
I asked for…	**Pedi…** pee<u>jee</u>
I can't eat this.	**Não posso comer isto.** nung-w <u>pos</u>soo kom<u>mayr</u> <u>ees</u>too
The meat is…	**A carne está…** ah <u>kahr</u>ni is<u>tah</u>
overdone	**cozida demais** koo<u>zee</u>dah ji<u>migh</u>s
rare	**malcozida** mowkoo<u>zee</u>dah
too tough	**muito dura** <u>mween</u>too doo<u>Dah</u>
This is too bitter/sour.	**Isto está azedo demais.** <u>ees</u>too is<u>tah</u> ah<u>zay</u>doo ji<u>migh</u>s
The food is cold.	**A comida está fria.** ah koo<u>mee</u>dah is<u>tah</u> <u>free</u>ah
This isn't fresh.	**Isto não está fresco.** <u>ees</u>too nung-w is<u>tah</u> <u>frays</u>koo
How much longer will our food be?	**Ainda demora muito?** ah-<u>een</u>dah day<u>maw</u>Dah <u>mween</u>too
We can't wait any longer. We're leaving.	**Não podemos esperar mais. Vamos embora.** nung-w poh<u>dem</u>mooz ispay<u>Dahr</u> mighs. <u>vum</u>mooz im<u>baw</u>Dah
This isn't clean.	**Isto não está limpo.** <u>ees</u>too nung-w is<u>tah</u> <u>leem</u>poo
I'd like to speak to the manager.	**Queria falar com o/a gerente.** ki<u>Dee</u>ah fah<u>lahr</u> koong oo/ah zhay<u>Den</u>chi

Paying Ao pagar

I'd like to pay.	**Queria pagar.** ki_Dee_ah pah_gahr_
We'd like to pay separately.	**Queríamos contas separadas.** ki_Dee_umoos _kon_tus saypah_Dah_dus
It's all together.	**É tudo junto.** eh _too_doo _zhoon_too
I think there's a mistake in this bill.	**Creio que há um engano na conta.** _kray_oo ki ah oong in_gun_noo nah _kon_tah
What is this amount for?	**A que se refere isto?** ah kay si hay_feh_Di _ees_too
I didn't have that. I had…	**Não escolhi isso. Escolhi…** nung-w isko_lyee_ _ee_soo. isko_lyee_ …
Is service included?	**O serviço está incluído?** oo sayr_vee_soo is_tah_ inkloo_ee_doo
Can I pay with this credit card?	**Posso pagar com este cartão de crédito?** _pos_soo pah_gahr_ koong _ay_schi kahr_tung_-w ji _kredj_itoo
I forgot my wallet.	**Esqueci minha carteira.** is_kay_see _mee_nyah kahr_tay_Dah
I don't have enough money.	**Não tenho dinheiro suficiente.** nung-w _ten_nyoo jin_nyay_Doo soofee_syen_chi
Could I have a receipt?	**Queria uma nota [uma factura].** ki_Dee_ah _oo_mah _naw_tah [_oo_muh fah_too_Duh]
Can I have an itemized receipt, please?	**Queria uma nota [uma factura] discriminada, por favor.** ki_Dee_ah _oo_mah _naw_tah [_oo_muh fah_too_Duh] jiskrimi_nah_dah poor fah_vohr_
That was a very good meal.	**Foi uma refeição excelente.** fohy _oo_mah hayfay_sung_-w aysay_len_chi

– A conta, por favor. (The bill, please.)
– Sim, aqui está. (Certainly. Here you are.)
– O serviço está incluído? (Is service included?)
– Está, sim. (Yes, it is.)
– Posso pagar com este cartão de crédito?
(Can I pay with this credit card?)
– Pode, sim. (Certainly.)
– Obrigada. Foi uma refeição excelente.
(Thank you. That was a very good meal.)

Course by course Pratos
Breakfast Café da manhã [Pequeno-almoço]

I'd like…	**Queria…** *ki<u>Dee</u>ah*
bread	**pão** *pung-w*
butter	**manteiga** *mun<u>tay</u>gah*
eggs	**ovos** *<u>aw</u>voos*
fried eggs	**ovos fritos [estrelados]** *<u>aw</u>voos <u>free</u>toos [ushtrull<u>ah</u>doosh]*
scrambled eggs	**ovos mexidos** *<u>aw</u>voos may<u>shee</u>doos*
fruit juice	**suco [sumo] de fruta** *<u>soo</u>koo [<u>soo</u>moo] ji <u>froo</u>tah*
jam	**geléia [doce de fruta]** *zhay<u>leh</u>-yah [<u>doh</u>si ji <u>froo</u>tus]*
(cold/hot) milk	**leite (frio/quente)** *<u>lay</u>chi (<u>free</u>oo/<u>ken</u>chi)*
rolls	**pãezinhos [papo-secos]** *pungy-<u>zeen</u>yoos [pahpoo-<u>say</u>koosh]*
toast	**torradas** *toh-<u>hah</u>dus*

Appetizers/Starters Entradas

If you feel like something to whet your appetite, choose carefully, for Brazilian and Portuguese appetizers can be filling. Appetizers/starters may also be listed on the menu under **Petiscos**.

assorted cold cuts *(meat)*	**frios** *<u>free</u>oos*
provolone (cheese)	**provolone (queijo)** *prohvoh<u>lon</u>ni (<u>kay</u>zhoo)*

Chouriço *shoh-<u>Dees</u>soo*
Smoked pork sausage flavored with paprika and garlic.
Pimentão *pimun<u>tung</u>-w*
Sweet peppers, roasted and served with olive oil and vinegar.
Casquinha de siri *kahs<u>kee</u>nyah ji see<u>Dee</u>*
Spider-crab stuffed with its own meat.

Soups Sopas/Caldos

Brazilian and Portuguese meals often start with a soup, a fairly substantial dish based on potatoes and vegetables.

sopa...	<u>soh</u>pah	soup
de ervilha	ji ayr<u>vee</u>lyah	pea soup
de cebola	ji say<u>boh</u>lah	onion soup
de legumes	ji lay<u>goo</u>mis	vegetable soup
canja	<u>kun</u>zhah	chicken soup with rice
de mandioca	ji munji-<u>aw</u>kah	cassava soup
de abóbora	ji ah<u>baw</u>bohDah	pumpkin soup
de feijão	ji fay<u>zhung</u>-w	red kidney bean soup
de marisco	ji mah<u>Dees</u>koo	seafood and shrimp soup with potatoes and tomatoes

Caldo verde <u>kow</u>doo <u>vayr</u>ji
Thick potato and kale soup with smoked sausage.

Creme de palmito <u>krem</u>mi ji pow<u>mee</u>too
Cream based on palm, corn starch and milk.

Minestrone meenay<u>stron</u>ni
Soup with noodle, bouillon, garlic, onion, carrot, potato, and turnip.

Creme de mandioquinha <u>krem</u>mi ji munji-aw<u>kee</u>nyah
Cream based on cassava, chicken and vegetables brolh, garlic and bacon.

Salads Saladas

salada	sah<u>lah</u>dah	salad
de alface	ji ow<u>fahs</u>si	green salad
de atum	ji dy uh<u>toong</u>	tuna and potato
de palmito	ji pow<u>mee</u>too	palm hear
mista	<u>mees</u>tah	tomato and lettuce
russa	<u>hoo</u>sah	boiled potatoes and carrots with mayonnaise

Salada completa sah<u>lah</u>dah kom<u>pleh</u>tah
Salad of green leaves, tomato, palm hearts, boiled eggs, onions, and carrots.

Fish/Seafood Peixes/Frutos do mar

While touring in coastal areas, don't miss the opportunity to sample some of the wide variety of fresh fish and seafood. The Brazilian and Portuguese are fond of boiled fish dishes served with cabbage and boiled potatoes – doused with oil and vinegar.

atum	a<u>toong</u>	tuna
linguado	leen<u>gwah</u>doo	sole
salmão	sow<u>mung-w</u>	salmon
lula	<u>loo</u>lah	squid
camarão	kummah<u>Dung-w</u>	shrimp
lagosta	lah<u>goh</u>stah	lobster
polvo	<u>poh</u>voo	octopus

Bobó de camarão boh<u>baw</u> ji kummah<u>Dung-w</u>
Shrimp cooked with onion, pepper garlic, and olive oil.

Arroz de atum uh-<u>hoh</u>-yzh dy uh<u>toong</u>
Tuna with rice, egg, tomato, and mayonnaise.

Pescada cozida push<u>kah</u>duh koo<u>zee</u>duh
Fish stew, made from fish potatoes, carrots, and caulli flower.

Bacalhau à Brás buhkuhl<u>yow</u> ah brahsh
Strips of dried cod fried with onions and potatoes, cooked in beaten egg.

Bacalhau à Gomes de Sá buhkuhl<u>yow</u> ah <u>goh</u>mizh duh sah
Dried cod with olives, garlic, onions, parsley, and hard-boiled eggs.

Bacalhoada buhkuhlyoo<u>ah</u>dah
Baked layers of cod and fried potatoes.

Caldeirada kowday<u>Dah</u>dah
Several kinds of fish with onions, tomatoes, potatoes, and olive oil.

Lulas recheadas <u>loo</u>lus hayshay-<u>ah</u>dus
Squid cooked with a stuffing of egg yolk, minced ham, onion, and tomato.

Moqueca de peixe moo<u>kek</u>kah ji <u>pay</u>shi
Stew made of fish, shellfish or shrimp with coconut milk.

Vatapá vahtah<u>pah</u>
Fish and shrimp in a paste made of rice flour or breadcrumbs.

Meat and poultry Carnes e aves

In Brazil, don't miss the barbecue specialties. In Portugal, **bife** is the word for steak, even if it is veal, pork, or fish rather than beef.

carne de vaca	kahr-ni ji vahkah	beef
galinha/frango	gahleenyer/frungoo	chicken
costeleta	kohstaylaytah	chop/cutlet
pernil	payrneew	cured ham
cabrito	kahbreetoo	kid goat
carne de porco	kahr-ni ji pohrkoo	pork
coelho	kwaylyoo	rabbit
bife	beefi	steak
medalhão	maydahlyung-w	tenderloin steak
vitela	veetellah	veal

Coxa de frango na cerveja kohshah ji frungoo nah sayrvayzhah
Chicken tigh with sliced bacon, lemon, onion, and beer.

Bife de panela beefi ji punnellah
Beef cooked with sliced bacon, tomatoes, onion, and pepper; served with rice and potatoes.

Carne de sol com feijão verde kahr-ni ji saw-w koong fayzhung-w vayrji
Meat dried in the sun (jerky) with green beans.

Coelho assado kwaylyoo ahsahdoo
Roast rabbit with onions, cooked with white wine.

Carne com batatas kahrni koong bahtahtus
Meat cooked with potatoes and carrots; served with rice.

Cabrito assado kahbreetoo ahsahdoo
Stew of kid (goat) and vegetables.

Feijoada fayzhooahdah
Black beans cooked with bacon, dried and salted pork, jerky, and sausage, served with rice, slices of orange and **farofa**, manioc (cassava) flour roasted in butter or oil.

Frango ensopado frungoo insohpahdoo
Chicken cooked with onion, tomatoes, parsley, and seasoning.

Bisteca de porco beestekkah ji pohrkoo
Beef steak pork fried, seasoned with lemon; served with rice, cooked cabbage, and fried banana.

Calabresa acebolada kahlahbrayzah ahsaybohlahdah
Sausage fried with onion, oil, salt, and pepper.

Xinxim de galinha sheensheeng ji gahleenyah
Chicken cooked in a sauce of dried shrimp, peanuts, and parsley.

Vegetables Legumes

You'll recognize **brócolos, espargos, lentilhas, tomates**. In Brazil and Portugal, many dishes are served with both rice and potatoes.

alface	ow*fah*si	lettuce
cebolas	say*boh*lus	onions
cogumelos	kohgoo*mel*loos	mushrooms
ervilhas	ayr*vee*lyus	peas
vagem	vah*zhayng*	green bean
feijão	fay*zhung*-wm	kidney beans
grão-de-bico	grung-w ji *bee*koo	chickpea
pimentão	peementung-w	green pepper

Arroz ah-*hohys*
Rice, which may be served **~ ao alho** (with garlic), **~ cozido** (cooked in meat stock), **~ e feijão** (with red or white beans), **~ com frango** (with fried chicken).

Batatas bah*tah*tus
Potatoes, these may be **~ cozidas** (boiled), **~ cozidas com pele** (boiled in their skins), **~ fritas** (fries [chips]), **~ palha** (matchsticks), **purê de ~** (mashed).

Acarajé ahkah*Dah*zheh
Grated beans fried in **dendê** (palm oil), served with pepper sauce, onions, and shrimp.

Tutu à mineira *too*too ah mee*nay*Dah
Dish made of beans, manioc (cassava) flour, pork, cabbage, fried eggs, and streaky bacon.

Fruit Frutas

You'll recognize **banana, coco, manga, laranja, mamão, melão, pêra**. In northern Brazil, there is a tremendous variety of exotic fruits – but be careful if you have a sensitive digestion and try only a few at a time.

abacate	ahbah*kah*chi	avocado
abacaxi	ahbahkah*shee*	pineapple
ameixa	ah*may*shah	plums
cereja	suh*Day*zhuh	cherrie
laranja	luh*Dun*zhuh	orange
maçã	mah*sung*	apple
morango	moh*Dun*goo	strawberrie
pêssego	*pay*saygoo	peach

Cheeses Queijos

Brazil produces cheese that you're expected to eat as a dessert, accompanied by preserves or sweets – **goiabada**, a paste of guava, for example. Portuguese cheeses are usually a mixture of sheep's and goat's milk, or cow's and goat's milk.

Brazil **Mussarela, provolone, prato, catupiri, parmesão, requeijão, mussarela de búfala, queijo de coalho, queijo-de-minas** (delicious with **goiabada**)

Portugal **Queijo da Serra, Azertão, Évora, Serpa, Cabreiro, Cardiga, São Jorge, São João, Ilha.**

Desserts/Pastries Sobremesas/Pastelaria

Cakes, custards and sweets – sometimes made of grated coconut – are part of every meal. You may find them a bit too sweet.

doce de abóbora com coco	_dohsi ji abawbohrah koong kohkoo_	paste made of pumpkin, sugar, and coconut
pudim de banana	_poojeeng ji buhnunnuh_	banana custard
bolo de fubá	_bohloo ji foobah_	maize flour cake
goiabada	_goh-yahbahdah_	thick paste made of guavas
torta de limão	_tawrtah ji limung-w_	lemon pie
marmelada	_mahrmaylahdah_	thick quince paste
musse de maracujá	_moossi ji mahDahkoozhah_	passion fruit mousse
bolo de cenoura	_bbohloo ji saynohDah_	carrot cake
pudim de leite	_poojeeng ji laychi_	caramel custard
quindim	_keenjeeng_	coconut and egg yolk pudding

Baba-de-moça _bahbah ji moh-sah_
Dessert made of egg yolk, coconut milk, and syrup.

Canjica _kunzheekah_
Dessert made with dried white sweet corn and milk.

Queijadinha _kayzhahjeenyah_
Dessert made of condensed milk, Parmesan cheese, eggs, coconut milk, and corn meal.

Cocada _kohkahdah_
Dessert made of grated coconut, sugar, and condensed milk.

Drinks Bebidas

Aperitifs Aperitivos

Brazilians like to drink a **batida**, a blend of **cachaça** (white sugar-cane rum), ice, sugar, and fruit juice. The Portuguese like to sip an aperitif before dinner; some drink vermouth while others prefer a dry port or madeira, or a **Moscatel de Setúbal** served chilled.

Please bring me a vermouth. **Por favor, traga-me um vermute.**
poor fah<u>vohr</u> <u>trah</u>gah-mi oong vayr<u>moo</u>chi

Beer Cerveja

Beer is a popular drink in Portugal and Brazil, always served very cold. Try local brews, such as **Antártica** in Brazil and **Sagres** in Portugal. In Brazil and Portugal, beer is often served with **tremoços** (salted lupin seeds) or **amendoins** (peanuts).

I'd like…	**Queria…** *ki<u>Dee</u>ah*
a dark beer	**uma cerveja preta** *<u>oo</u>mah sayr<u>vay</u>zhah <u>pray</u>tah*
a draft [draught] beer	**um chope [uma imperial]** *oong <u>shoh</u>pi [<u>oo</u>muh impuh<u>Dee</u>ow]*
a lager	**uma cerveja (clara)** *<u>oo</u>mah sayr<u>vay</u>zhah (<u>klah</u>Dah)*
a bottle/glass/mug/can	**uma garrafa/um copo/uma caneca/ uma latinha** *<u>oo</u>mah gah-<u>hah</u>fah/oong <u>kop</u>poo/<u>oo</u>mah kah<u>nek</u>kah/<u>oo</u>mah lah<u>chee</u>nyah*

Wines Vinhos

Brazilian wines are produced in the southern part of the country, which turns out some good reds and whites. Labels to look for include **Almadén** and **Forestier**.

Portugal may be best known abroad for its blush [rosé] and fortified wines, but you'll find a variety of excellent red and white wines as well. The Portuguese themselves seem to prefer the drier, lighter types as aperitifs or dessert wine.

I'd like a (half) bottle of … wine.	**Queria uma (meia-)garrafa de vinho…** *ki<u>Dee</u>ah <u>oo</u>mah (<u>may</u>ah) gah-<u>hah</u>fah ji <u>vee</u>nyoo*
red/white/blush [rosé]	**tinto/branco/rosé** *<u>cheen</u>too/<u>brun</u>koo/hoh<u>zay</u>*
a carafe/half liter/glass	**uma jarra/meio litro/uma taça** *<u>oo</u>mah <u>zhah</u>-hah/<u>oo</u>mah <u>tah</u>sah*

Types of wine Tipos de vinho

dry, light white	**vinhos verdes, Porca de Murça** and **Pérola** (**Douro** region); **Bucelas, Óbidos** and **Alcobaça** (**Estremadura**)
dry white	**Sercial** (**Madeira**), medium-dry **Verdelho**
sweet white	**Moscatel** (**Setúbal**); **Carcavelos** and **Favaios** regions; bottles labeled **Grandjó** (**Douro**)
blush [rosé]	**Pinhel** region; **Mateus rosé** (**Trás-os-Montes**)
light-bodied red	**Clarete** (**Douro**), **Lafões** region; red **vinhos verdes**
full-bodied red	**Colares, Dão, Lagoa,** and **Bairrada** regions
sweet red	**Malmsey,** and drier **Bual** (**Madeira**); port wine (**Douro**)
sparkling	**Bairrada,** especially **vinhos espumantes naturais** from **Caves da Raposeira**

um (vinho da) Madeira   oong (<u>veen</u>yoo dah) mah<u>day</u>Dah
Excellent red and white aperitif and dessert wines from the island of Madeira: **Sercial** is the driest, and **Verdelho** (medium-dry) can be drunk as an aperitif; **Boal** (or **Bual**) is smoky and less sweet than the rich dark-amber **Malmsey** (or **Malvásia**), which is best served as a dessert wine at room temperature.

um (vinho do) Porto   oong(<u>veen</u>yoo doo) <u>pohr</u>too
Port, famous fortified wine from the upper Douro valley, east of Oporto, classified by vintage and blend. The vintage ports, only made in exceptional years, are bottled at least two years after harvesting and then stored for 10 to 20 years, while the blended ports are kept in barrels for a minimum of five years. There are two types: the younger ruby variety (**tinto aloirado**) is full-colored and full-bodied, while the tawny (**aloirado**) is less sweet, amber-colored and delicate.

um vinho verde   oong <u>veen</u>yoo <u>vayr</u>ji
"Green wine," produced in the Minho area in northwest Portugal, made from unripened grapes. **Vinho verde** is faintly sparkling and extremely acid in taste, very refreshing and with low alcohol content.

Reading the label

- **adega** vineyard/winery
- **branco** white
- **casta** grape
- **colheita** vintage
- **DOC** highest quality wines
- **suave** sweet
- **encorpado** full-bodied
- **engarrafado na origem** wine bottled at estate
- **espumante** sparkling
- **extra-seco** very dry
- **IPR** quality wines
- **ligeiro** light
- **palacio** vineyard
- **quinta** vineyard
- **rosé** blush [rosé]
- **seco** dry
- **tinto** red
- **vinho** wine
- **vinho de mesa** table wine
- **vinho regional** regional wine
- **VQPRD** quality wines from smaller defined regions

Spirits/Liqueurs Bebidas alcoólicas

You'll recognize **gim tônico [tónica]**, **rum**, **porto** (port wine), **vermute**, **vodca**, **whisky com soda**. In Brazil, why not try a **cachaça** (white rum) – but watch out for the effects! You may also like to try a Portuguese brandy, like **Antiqua**, **Borges** or **Constantino**.

aguardente...	ahgwahr<u>den</u>chi...	... spirit
branca	<u>brun</u>kah	fig spirit
amarela	ahmah<u>Dell</u>ah	arbutus berry* spirit
envelhecida	invay-lyay<u>see</u>dah	brandy
batida...	bah<u>chee</u>dah	cachaça cane spirit with fruit juice, sugar, ice
de caju	ji kah<u>zhoo</u>	batida, as above with cashew nut
de coco	ji <u>koh</u>koo	batida with coconut
de maracujá	ji mahDah<u>koo</u>zhah	batida with passion fruit
caipirinha	kighpee<u>Dee</u>nyah	cachaça, crushed lime, sugar and ice
caipirinha de vodca (caipirosca)	kighpee<u>Dee</u>nyah ji <u>vaw</u>jikah (kighpi<u>Daws</u>kah)	caipirinha made with vodka
cuba-libre	<u>koo</u>bah <u>lee</u>bri	rum and Coke®
vinho quente	<u>vee</u>nyoo <u>ken</u>chi	red wine made with slices of apple, water, sugar and clove; served hot

* small strawberry-like fruit

Non-alcoholic drinks Bebidas não-alcoólicas

Look for the bars advertising **sucos** (juices) with lots of fresh fruit on display.

I'd like some...	**Queria...** ki<u>Dee</u>ah
fruit juice	**um suco [sumo]** oong <u>soo</u>koo [<u>soo</u>moo]
orange juice	**um suco [sumo] de laranja natural** oong <u>soo</u>koo [<u>soo</u>moo] ji lah<u>Dun</u>zhah nahtoo<u>Dow</u>
mineral water	**uma água mineral** <u>oo</u>mah <u>ah</u>gwah meenay<u>Dow</u>
carbonated/non-carbonated	**com gás/sem gás** koong <u>gahs</u>/sayng <u>gahs</u>
tea/coffee	**um chá/um café** oong shah/oong kah<u>feh</u>
with milk/lemon	**com leite/limão** koong <u>lay</u>chi/leemung-w
coconut juice	**água de coco** <u>ah</u>gwah ji <u>koh</u>koo
sugar-cane juice	**caldo de cana** <u>kow</u>doo ji <u>kun</u>nah
coconut milk	**leite de coco** <u>lay</u>chi ji <u>koh</u>koo
soft drink	**refrigerante** hayfree-zhay<u>Dun</u>chi

Menu Reader

gatrinado [alourado (-a)]	doh<u>Dah</u>doo(-ah)	oven-browned
no forno	noo <u>fohr</u>noo / noo <u>foar</u>noo	
em cubos	ing <u>koo</u>boos	diced
assado(-a)	ah<u>sah</u>doo(-ah)	roasted
com creme	koong <u>krem</u>mi	creamed
cozido(-a)	koo<u>zee</u>doo(-ah)	boiled
cozido(-a) a vapor	koo<u>zee</u>doo(-ah) ah vah<u>pohr</u>	steamed
refogado(-a) [escalfado(-a)]	hayfoh<u>gah</u>doo(-ah) [ushkul<u>fah</u>doo]	sautéed
escaldado(-a) [estufado (-a)]	iskow<u>dah</u>doo(-ah) [ushtoo<u>fah</u>doo]	scalded
frito(-a)	<u>free</u>too(-ah)	fried
defumado(-a)	dayfoo<u>mah</u>doo(-ah)	smoked
grelhado(-a)	gray<u>lyah</u>doo(-ah)	grilled
ensopado(-a) [guisado (-a)]	insoh<u>pah</u>doo(-ah)	stewed
marinado(-a)	mahDee<u>nah</u>doo(-ah)	marinated
no forno	noo <u>fohr</u>noo	baked
empanado(-a)	impun<u>nah</u>doo(-ah)	breaded
malpassado(-a)	mow pah-<u>sah</u>doo(-ah)	rare/underdone
no ponto(-a)	noo <u>pon</u>too	medium
bem-passado(-a)	baym pah-<u>sah</u>doo(-ah)	well-done
picante	pee<u>kun</u>chi	spicy
recheado(-a)	hay<u>shyah</u>doo(-ah)	stuffed

A à .../à moda de ... ... style
 à la carte/lista a la carte
abacate avocado
abacaxi pineapple (*Braz.*)
abóbora pumpkin
abricó apricot
açafrão saffron
acarajé fried beans ➤47
acebolado flavored with onion
açúcar sugar
adocicado slightly sweet
agrião watercress
água water
água de coco coconut juice
água mineral mineral water; **~ com gás** carbonated [fizzy]; **sem gás** non-carbonated [still]

aguardente spirit; **~ branca** white; **~ amarela** yellow; **~ envelhecida** well-aged brandy
aipim (mandioca) cassava
aipo celery
alcachofra artichoke
alcaçuz licorice
alcaparra caper
alecrim rosemary
aletria sweet noodle pudding
alface lettuce
aliche (anchova) anchovy
alho garlic
alho-porro leek
almeirão wild chicory
almoço lunch
almôndegas fish- or meatballs
amanteigado buttered
amargo bitter
ameixa plum; **~ seca** prune
amêndoa almond
amendoim peanut
amido starch
amora blackberry
ananás pineapple
angu angu
anis anise liqueur
ao… in the style of…
aperitivo aperitif
apimentado spicy
araruta arrow root
arenque herring
arraia ray

arroz rice ▶47; **~ à grega** with diced vegetables; **~ de forno** oven-browned; **~ aos quatro queijos** with four types of cheese; **~ com bacon** with bacon; **~ com feijão** with red or white beans; **com passas e amêndoa** with grape-raisin and almond, ▶46; **-de-carreteiro** cooked with meat; **~ de-cuxá** with dry shrimp, onion, tomato, garlic, and seasonings
arroz-doce rice pudding
arroz integral integral rice
aspargo asparagus
assado roast
atum tuna; **filé de ~** tuna steak marinated and fried
aveia oats
avelã hazelnut
aves poultry
azedo sour
azeite olive oil
azeitona (preta/verde/recheada) olive (black/green/stuffed)

B **baba-de-moça** egg yolk dessert ▶48
bacalhau cod ▶45; **~ à Gomes de Sá** dried cod with olives and eggs ▶45; **~ à Brás** fried with onions and potatos; **bolinho de ~** fried dried

cod balls; **pastel de** ~ dried cods with seasonings, white wine, Parmesan cheese, onion, garlic, bell pepper, and black pepper; ~ **gratinado** dried cod with olives and eggs; ~ **com grão-de-bico** dried cod with onion, potatoes, seasonings, white wine, olive oil, and chickpea

bacon bacon

badejo sea bass

bagaço spirit made from grape husks

baião-de-dois rice and beans

banana banana

bananada paste made of banana and sugar

batatas potatoes ➤47

batatas cozidas (com casca) boiled potatoes (in their skins)

batata-doce sweet potato

batata frita fries [chips]

batata-palha potato matchsticks

batida mixed drink of *cachaça*, fruit juice, sugar, ice ~ **de caju** with cashew nut; ~ **de coco** with coconut; ~ **de maracujá** with passion fruit; ~ **de morango** with shawberry

basílico (manjericão) basil

baunilha vanilla

bauru bread mass stuffed with ham and cheese

bebida drink; ~ **sem álcool/não-alcoólica** soft drink;

bebidas inclusas drinks included

beiju manioc flour fried in butter

beirute Syrian bread stuffed with ham and cheese or meat, eggs, lettuces and seasonings

bem-casado desert made with boiled condensed milk

bem-passado well-done

berinjela eggplant

beterraba beet [beetroot]

bife steak/escalope

bife acebolado steak with onions

bife à milanesa breaded escalope

bife de fígado fried steak of liver

bife rolê coiled steak

biscoito de coco coconut biscuit

biscoito de polvilho manioc flour biscuit

bisteca beefsteak

bobó dish of dried shrimp, onions, cassava root, fish stock, palm-oil, coconut milk

bolacha cookie

bolachas de água e sal crackers

bolinhos de arroz fried rice balls

bolo cake, pastry; ~ **de cenoura** carrot cake; ~ **de chocolate** chocalate cake; ~ **de fubá** corn flour cake; ~ **de laranja** orange cake; ~ **de milho** corn cake; ~ **inglês** cake with candied fruit;

brigadeiro chocolate balls

brócolis broccoli

C c/ with

cabrito kid

caça game

cação shark

cacau cocoa

cachaça spirit distilled from sugar cane

cachorro-quente hot dog

café coffee; **~ com leite** with milk; **~ descafeinado** caffeine-free; **~ duplo** large cup; **~ frio** iced; **~ instantâneo** instant

caipirinha *cachaça* (sugar cane spirit), crushed lime, sugar and ice; **~ de vodca** caipirinha made with vodka, rather than *cachaça*

caju cashew nut

(em) calda (in) syrup

caldeirada fish simmered with tomatoes and potatoes ➤45; **~ à fragateira** fish, shellfish, and mussels simmered in a fish stock with tomatoes and herbs, served on toast; **~ à moda da Póvoa** hake, skate, sea-bass, and eel simmered with tomatoes in olive oil

caldo consommé

caldo de cana sugar-cane juice

caldo verde potato and kale soup ➤44

camarão shrimp; **~ à baiana** served in spicy tomato sauce with boiled rice; **espetinho de ~** shrimps on a stick; **~ na moranga** boiled shrimp served inside pumpkin

cambuquira squash [pumpkin] shoots stewed with meat

canapê small open sandwich

caneca pint-size beer mug

canela cinnamon

canelone Italian mass stuffed

canja chicken soup with rice

canjica sweet corn and milk dessert ➤48

caqui persimmon

cará yam

caramelo caramel

caranguejo crab

cardápio menu

caril curry powder

carne de porco pork; **~ à alentejana** chopped pork cooked with clams, tomatoes and onions (*Port.*)

carne-de-sol sun-dried meat, jerky

carne de vaca beef

carne picada chopped (minced) meat

carneiro mutton; **~ ensopado** stewed with tomatoes, garlic, bay leaves, and parsley

caruru dish of minced herbs stewed in oil and spices

casquinha de siri crab in its shell

castanha chestnut; **~ de caju** cashew nuts; **~ -do-pará** Brazilian Nut

catchup sauce made of tommatoes and seasonings

caviar caviar

cebola onion

cebolinha green onion
cenoura carrot
cereja cherry
cerveja beer ➤49; **~ clara** lager; ; **~ em lata** in can; **meia ~** half beer; **~ preta** stout
chá tea; **~ com leite** with milk; **~ com limão** with lemon; **~ de limão** made from lemon peel infusion; **~ mate** infusion from maté-tree leaf, usually served chilled with slice of lemon; **~ preto** black tea
champanha champagne
cheiro-verde parsley
chicória chicory
chocolate quente hot chocolate
chope draft [draught] beer
chouriço smoked pork sausage ➤43
chuchu type of rutabaga
churrasco charcoal-grilled meat served with *farofa* (cassava-root meal) and hot-pepper sauce; **~ misto** mixed barbecue (beef, sausage, and pork);
cobrança de acréscimo para grupos de… ou mais service charge for parties of… or more
cocada coconut macaroon
coco coconut
codorna quail
coelho rabbit; **~ assado** roast ➤46
coentro coriander
cogumelo (button) mushroom
colorau paprika
com creme creamed
com leite with milk

comida caseira homemade
cominho cumin
compota compote, stewed fruit
condimentos seasoning
confeito candy
congro conger eel
conhaque cognac
conserva conserve
conta bill
contrafilé rump steak
copa loin
copo glass
coquetel cocktail
coração heart
cordeiro lamb
corvina croaker *(fish)*
costeleta chop/cutlet
couve cabbage
couve à mineira sautéed collards [kale] in bacon fat and garlic
couve-de-Bruxelas brussels sprouts
couve-flor cauliflower
couvert cover charge; starter, appetizer
coxinha pastry filled with chicken
cozido stewed; boiled; cooked; **~ no vapor** steamed; **~ em fogo brando** simmered; ➤46
cozinha cooking/cuisine
cravo-da-índia clove
creme cream;
creme de leite custard
cremoso creamy

crepe pancake
crocante crispy
croquete croquette
cru raw
crustáceos shellfish
cuba-libre rum and cola
curau mashed sweet corn cooked in coconut milk with sugar and cinnamon
cuscuz couscous

D

da época in season
da estação subject to availability
damasco apricot
defumado defumado
dendê palm oil
desjejum breakfast
doce sweet; **meio-~** medium-sweet; **~ de fruta** jam
doce de abóbora pumpkin dessert
doce de leite milk candy

E

embutidos canned foods
em cubos diced
empadinha roasted pastry; **~ de camarão** filled with shrimp; **~ de palmito** filled with palm hearts
empanado misty (frie)
enguia eel
enroladinho coiled
entrada starter/appetizer
erva-doce aniseed
ervilha pea

escabeche souse
escalope cutlet
escarola endive
esfiha Arabian dish filled milled meat
espaguete spaghetti
especialidades specialties; **~ da casa** of the house; **~ regionais/da região** local specialties
especiaria spice
(no) espeto spit-roasted
espeto de carne meat on a stick; **~ de lingüiça** sausage on a stick; **~ misto** mixed barbecue on a stick
espinafre spinach
espumante sparkling *(wine)*
estragão tarragon
estrogonofe strogonoff
esturjão sturgeon

F

faisão pheasant
farinha flour
farofa manioc (cassava) meal browned in oil or butter
fatiado sliced
fava broad beans
feijão bean; **~ branco** navy; **~ preto** black; **~ tropeiro** black beans fried with chopped *carne de sol* (jerky) and served with *farofa*
feijoada black beans, bacon, pork, jerky, and sausage; eaten with rice, orange and *farofa* ➤46

fiambre boiled ham
fígado liver; ~ **de aves** chicken
figo fig
filé steak ~ **à cubana** fried steak covered with palm heart, pean, ham, cheese, pinapple, peach, and fried banana; ~ **à parmegiana** fried steak covered with tomatoes sauce and cheese; ~ **de frango** chicken chest
fios de ovos fine golden strands of egg yolk cooked in syrup
flã flan
flambado flambeed
fogaça Italian pastry
folhado sweet puff-pastry delicacy
framboesa raspberry
frango chicken; ~ **à passarinho** fried chicken with garlic; ~ **assado** roast chicken; ~ **com polenta** chicken with polenta
fresco fresh, chilled
(na) frigideira sautéed
frio cold
fritas fries
frito fried; fritter
fruta fruit ▶47; ~ **-do-conde** custard apple; ~ **em calda** in syrup;
frutos do mar seafood
fubá corn flour/maize flour

G **galeto na brasa** grilled chicken
galinha stewing chicken
ganso goose
garoupa grouper
garrafa bottle; **meia-~** half bottle
gelado chilled/iced
gelatina jelly
geléia de fruta jam
gelo ice, ice cubes; **com ~** with ice; **sem ~** without ice
gema yolk
gemada eggnog
gengibre ginger
gergelim sesame
gim gin
glacê icing
goiaba guava
goiabada thick paste made of guava
grão-de-bico chickpea
gratinado oven-browned
grelhado grilled
groselha red currant
guaraná a tropical fruit drink
guardanapo napkin
guarnição garrison
guisado stew; stewed

H **hadoque** haddock
hortaliça fresh vegetables
hortelã mint

I **incluso no preço** included in price
inhame yam

iogurte yogurt
isca de peixe fried small fish

J **jabuticaba** type of cherry
jambo variety of cress
jantar dinner
jardineira mixed vegetables
jarra carafe
javali wild boar

K **kibe** meat and bulgur (cracked wheat) croquette

L **lagosta** lobster
lagostim crayfish; **~-do-rio** fresh-water crayfish
lanche snack
laranja orange
laranjada orangeade
legumes vegetables ➤47
leitão suckling pig; **~ à pururuca** suckling pig baked, with chip skin; **~ recheado** stuffed with spicy minced bacon, *chouriço*, and giblets, then roasted
leite milk; **~ com café** with coffee; **~ com chocolate** chocolate drink
leite de coco coconut milk
lentilha lentil
licor liqueur
lima lime

limão lemon
limonada type of lemon drink
língua tongue
linguado sole; **~ gratinado** sautéed in butter, served with parsley and lemon juice; **~ recheado** filled with shrimps in a white sauce
lingüiça very thin *chouriço* ➤43
lombo loin
louro bay leaf
lula squid; **~ à milanesa** fried squid; **~ à provençal** squid stew; **~ recheada** braised and stuffed ➤45

M **maçã** apple
macarrão macaroni
macaxeira cassava root
madeira (vinho) Madeira wine ➤50
maduro mature
maionese mayonnaise
maisena corn starch
malagueta hot pepper
malpassado rare/underdone
mamão papaya
mandioca manioc (cassava) root
manga mango
manjar-branco coconut pudding (blancmange) topped with plum syrup
manjericão basil
manteiga butter
maracujá passion fruit
margarina margarine

marinado marinated
(à) marinheira with white wine, onions, and parsley
marisco seafood ➤45
marmelada thick quince paste
marzipã marzipan
massa pasta; dough, pastry
mate ice-cold Paraguay tea
medalhão tenderloin steak
meia porção half portion
mel honey
melancia watermelon
melão melon; **~ com presunto** with ham
merengue meringue
merluza hake
mexerica tangerine
mexido srambled
mexilhão mussel
mil-folhas millefeuille/ puff pastry with jam and cream
milho sweet corn
mingau porridge
miolo brain
misto-frio ham-and-cheese in sandwich
misto-quente ham-and-cheese toasted sandwich
moela spicy stew of chicken stomach
molho sauce
moqueca fish, shellfish or shrimp stew ➤45
moranga pumpkin
morango strawberry; **~ silvestre** wild
morcela blood sausage [black pudding]
mortadela mortadella (*Bologna sausage*)
mostarda mustard
músculo muscle
mussarela type of cheese
musse de chocolate chocolate pudding; **~ de maracujá** passion fruit mousse

N

nabo turnip
nectarina nectarine
nêspera loquat (*fruit*)
nhoque gnhocchi
noz nut; **~ -moscada** nutmeg

O

óleo oil; **~ de amendoim** peanut oil; **~ de milho** sweet corn oil; **~ de soja** soy oil
omelete omelet; **~ completa** with seasonings, potatoes, tomatoes, and vegetables; **~ de batata** with potatoes; **~ de queijo** with cheese and seasonings
orégano [orégão] oregano
osso bone
ostras oysters
ovos eggs; **~ cozidos** boiled; **fritos** fried; **~ mexidos** scrambled; **~ pochê** ; **~ quentes** soft-boiled eggs

P **paçoca** roast *carne de sol* (jerky) ground with manioc (cassava) root and served with sliced bananas; dessert made with roast peanuts crushed with sweetened manioc (cassava) meal

pagamento adiantado advanced payment

paio smoked, rolled pork fillet; **~ com ervilhas** simmered with peas and chopped onions

palmito palm hearts

pamonha made with grated sweetcorn and milk

panetone cake made with candied fruits

panqueca pancake

pão (escuro/integral) bread (brown/wholewheat); **~ de centeio** rye bread;

pão de queijo pastry made with cheese and manioc flour

pãozinho bread roll

papo-de-anjo egg yolk macaroon

páprica paprika

para dois for two

pargo bream *(fish)*

pastel small pie; **~ de bacalhau** filled with dry cod; **~ de camarão** filled with shrimp; **~ de carne** filled with milled; **~ de palmito** filled with palm heart; **~ queijo** filled with cheese

pato duck; **~ recheado** braised in white wine with onions, parsley, and bay leaf; **~ ao tucupi** roast duck with tucupi (manioc juice)

pé-de-moleque peanut brittle

peito de frango chicken breast

peixe fish ➤45; **~-agulha** garfish; **~-espada** cutlass fish

pepino cucumber

pepinos em conserva pickles

pêra pear

perdiz partridge; **~ ao molho madeira** partridge with *aguardente*, madeira wine, garlic, carrots, and smoked bacon

pernil ham

peru turkey

pés de porco pig's feet [trotters]

pescada whiting; **~ à milanesa** fried whiting; **~ com molho de espinafre** with spinach sauce

pêssego peach

petisco appetizers/starters

picadinho meat bited with vegetables and seasonings

picanha charcoal-grilled meat; **~ fatiada** sliced meat

picante hot, spicy

picles pickled vegetables

pimenta pepper; **~ -do-reino** black pepper; **~ malagueta** chili ➤43

pimentão bell pepper

pinga *aguardente*; crude white rum

pinhão pine nut

pintado Brazilian fish

pipoca popcorn

pirarucu fish from the Amazon

pistache pistachio
pizza pizza
polenta polenta
polpa de fruta fruit pulp
polvo octopus
porção portion
porco pork
porções variadas assorted appetizers
(vinho do) Porto port ▶50
posta slice of fish or meat
prato do dia dish of the day
prato feito set meal
prato principal main course
pratos combinados set dishes
pratos frios cold dishes
preço price
presunto cured ham; **~ cru** dried ham
pudim caramel custard; **~ de leite** milk custard; **~ de coco** coconut custard; **~ de laranja** orange custard
purê de batata mashed potato with milk and butter
puro straight/neat

Q queijada small cottage-cheese tart
queijo cheese; **~ quente** hot; **~ ralado** grated ▶48
quiabo okra
quindim pudding made with coconut and egg yolks

R rã frog
rabanada slice of bread dipped into egg batter and sprinkled with sugar (French toast)
rabanete radish
recheado stuffed
recheio stuffing, forcemeat
refeição meal; **~ completa** set menu; **~ rápida** snack
refogado onions fried in olive oil
refresco soft drink
repolho cabbage
requeijão curd cheese
ricota ricotta
risoto risotto
risole pastry, stuffed with cheese and ham
robalo sea bass
rodízio selection of chargrilled meats
romeu-e-julieta cheese with jam
romã pomegranate
rosbife roast beef
rosca ring-shaped white bread
rosmaninho rosemary

S sal salt
salada salad ▶44; **~ completa** with tomato, palm hearts, boiled eggs; **~ de alface/escarola** green salad; **~ de agrião** watercress; **~ de atum** tuna and potato; **~ de tomate** tomato; **~ mista** tomato and lettuce; **~ russa** diced boiled potatoes and carrots with mayonnaise

salada de frutas fruits salad
salame salame
salgadinho tidbit
salgado salty/salted
salmão salmon; **~defumado** smoked salmon
salsa parsley
salsicha sausage
sálvia sage
sanduíche sandwich
sarapatel pork or mutton stew, thickened with blood
sardela paste made with tomatoes, red bell pepper, olive oil, garlic, and seasonings
sardinha sardine
seco dry; **meio-~** medium-dry
sêmola semolina
serviço incluído service included
sidra cider
siri crab
só por encomenda made to order
sobremesa dessert ➤48
solha plaice (fish)
sonho type of doughnut
sopa soup ➤44; **~ de abóbora** pumpkin; **~ de batata** potato and watercress; **~ cebola** onion; **~ de ervilha** green pea; **~ de feijão** bean; **~ de legumes** lettuces; **~ de macarrão** macaroni; **~ de mandioca** cassava
sorvete ice cream; **~ de abacaxi** pineapple; **~ de chocolate** chocalate; **~ de creme** milk; **~ de morango** strawberry

suco [sumo] fruit juice; **~ de abacaxi** pineapple; **~ de caju** cashew nut; **~ de laranja** orange; **~ de mamão** papaya; **~ de manga** mango; **~ de maracujá** passion fruit; **~ de tamarindo** tamarind; **~ de tangerina** tangerine; **~ de uva** grape
sugestão do *chef* the chef recommends
sururu type of cockle
suspiro meringue

T

taça long-stemmed glass, cup
tainha gray mullet (fish)
talharim type of noodle
tâmaras dates
tamarindo tamarind
tangerina tangerine
tempero seasoning
tênder smoked meat pork
tenro tender
tinto red (wine)
todos os pratos servidos com… all meals served with…
toucinho bacon
tomate tomato; **~ seco** dry
tomilho thyme
torrada toast

torresmo crisped skin pork
torta swiss roll; **~ de limão** with lemon juice; **~ de maçã** with apples pieces and cinnamon; **~ de morango** with strawberrys pieces; **~ de palmito** with palm heart
trufa truffle
truta trout
tucupi manioc (cassava) juice
tutano marrow
tutu à mineira dish of beans, pork, and cabbage ➤47

umbu a tropical fruit
uvas grapes
uísque whisky

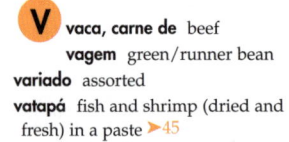

vaca, carne de beef
vagem green/runner bean
variado assorted
vatapá fish and shrimp (dried and fresh) in a paste ➤45
vegetais variados choice of vegetables
vieira scallop
vinagre vinegar
vinho wine ➤49–50; **~ branco** white; **~ da casa** house wine; **~ do Porto** port ➤50; **~ licoroso** naturally sweet; **~ tinto seco** dry red; **~ tinto suave** ➤50
vitamina cold drink of several fruits blended with milk or water
vitela veal

xinxim de galinha chicken in shrimp sauce ➤46

Travel

Safety	65	Hitchhiking	83
Arrival	66	Taxi/Cab	84
Plane	68	Car/	
Train	72	Automobile	85
Tickets	74	Car rental	86
Long-distance bus		Gas [Petrol] station	87
[Coach]	78	Breakdown	88
Bus/Streetcar	78	Car parts	90
Subway [Metro]	80	Accidents	92
Ferry	81	Legal matters	93
Bicycle/Motorbike	83	Asking directions	94
		Road signs	96

Distances in Brazil mean that air travel is often the best option; alternatively buses are comfortable and economical. Portugal has a fairly well-developed transport system, so you should enjoy trouble-free traveling

Petty crime and robbery are a problem in tourist spots, buses, and city beaches in Brazil. Portugal is a relatively safe country and violent crimes against tourists are rare.

ESSENTIAL

A ticket to…	**Uma passagem para…** *oomah pah-sahzhayng pahDah*
one-way [single]	**de ida** *ji eedah*
round-trip [return]	**de ida e volta** *ji eedah ee vaw-wtah*
How much…?	**Quanto é?** *kwuntoo eh*
When will… arrive/leave?	**Quando chega/parte?** *kwundoo shaygah/pahrchi*

Safety Questões de segurança

Would you accompany me to the bus stop?	**Podia ir comigo até o ponto de ônibus?** *pohjeeah eer koomeegoo ahteh oo pontoo ji onniboos*
I don't feel safe (here).	**Não me sinto seguro (-a) (aqui).** *nung-w mee seentoo saygooDoo (ahkee)*

POLICE ➤ 152; EMERGENCY ➤ 224

Arrival Chegada

Citizens of EU countries require a valid passport for entry to Portugal and Brazil. Citizens of the US, Canada, Australia, and New Zealand require a valid passport and visa for entry to Brazil but only a valid passport for entry to Portugal. Visas, valid for 90 days in Brazil, can be extended at federal police stations.

Duty free into:	Cigarettes	Cigars	Tobacco	Spirits	Wine
Brazil	400 and	25 and	250 g	1 2 l and	1 2 l
Portugal	200 or	50 or	250 g	1 l or	2 l
Canada	200 and	50 and	200 g	1 l or	1 l
U.K.	200 or	50 or	250 g	1 l and	2 l
U.S.	200 and	100 and	discretionary	1 l or	1 l

Import restrictions between EU countries have been relaxed on items for personal use or consumption that are bought duty-paid within the EU.

Passport control Controle de passaportes

We have a joint passport.	**Temos um passaporte em conjunto.** *taymoos oong pah-sah<u>pawr</u>chi ing kon<u>zhoon</u>too*
The children are on this passport.	**As crianças estão neste passaporte.** *us kri-<u>un</u>suz is<u>tung-w</u> <u>nay</u>ssi pah-sah<u>pawr</u>chi*
I'm here on vacation [holiday].	**Estou de férias.** *is<u>toh</u> ji <u>feh</u>Dyus*
I'm here on business.	**Estou a negócios.** *is<u>toh</u> ah nay<u>gaw</u>ssyoosh*
I'm just passing through.	**Estou só de passagem.** *is<u>toh</u> saw ji pah-<u>sah</u>zhayng*
I'm going to…	**Vou para…** *voh pah<u>Dah</u>*
I won't be working here.	**Não vou trabalhar aqui.** *nung-w voh trahbah<u>lyahr</u> ah<u>kee</u>*
I'm…	**Estou…** *is<u>toh</u>*
on my own	**sozinho(-a)** *sawz<u>zee</u>nyoo(-ah)*
with my family	**com a minha família** *koong ah <u>mee</u>nyah fah<u>mee</u>lyah*
with a group	**com um grupo** *koong oong <u>groo</u>poo*

WHO ARE YOU WITH? ➤ 120

Customs Alfândega

I have only the normal allowances.	**Trago apenas o que é permitido.** *tragoo ahpaynus oo ki eh payrmee cheedoo*
It's a gift.	**É um presente.** *eh oong prayzaynchi*
It's for my personal use.	**É para meu uso pessoal.** *eh pahDah mayw oozoo payssoo-ow*

Tem alguma coisa a declarar?	Do you have anything to declare?
Tem de pagar taxas alfandegárias.	You must pay duty on this.
Onde comprou isto?	Where did you buy this?
Abra esta bolsa por favor.	Please open this bag.
Tem mais bagagem?	Do you have any more luggage?

I would like to declare…	**Queria declarar…** *kiDeeah dayklahDar*
I don't understand.	**Não entendo [compreendo].** *nung-w [untayndoo] [kompri-ayndoo]*
Does anyone here speak English?	**Há alguém aqui que fale inglês?** *ah owgayng ahkee ki fahli inglays*

CONTROLE DE PASSAPORTES	passport control
FRONTEIRA	border crossing
ALFÂNDEGA	customs
NADA A DECLARAR	nothing to declare
ARTIGOS A DECLARAR	goods to declare
POLÍCIA	police

Duty-free shopping Duty-free

What currency is this price in?	**Em que moeda está este preço?** *ing ki mooehdah istah ays-chi pray-soo*
Can I pay in…	**Posso pagar em…** *possoo pahgar ing*
dollars/pounds	**dólares/libras** *dollahDis/leebrus*
reais/euros *(Braz./Port.)*	**reais/euros** *hay-ighs/aywDoos*

COMMUNICATION DIFFICULTIES ➤ 11

Plane De avião

In Brazil, there are airports at main Brazilian cities, as São Paulo, Rio de Janeiro, and Brasília. The main Brazilian airlines are TAM, and Gol. In Portugal, there are airports at Lisbon, Oporto, Faro, Funchal (Madeira), Ponta Delgada (Azores), and Lajes (Azores). The national airline is TAP Air Portugal.

Individual flight tickets in Brazil can be expensive, so it may be worth buying an air-pass (only available outside the country). It is advisable to reserve in advance in the summer, when Brazilians themselves travel most frequently.

Tickets and reservations Passagens [Bilhetes] e reservas

When is the… flight to…?	**Quando é o… vôo para…?** *kwundoo eh oo… vohoo pahDah*
first/next/last	**primeiro/próximo/último** *primayDoo/prawssimoo/oochimoo*
I'd like 2… tickets to…	**Queria duas passagens… para…** *kiDeeah doo-us pah-sahzhayngz… pahDah*
one-way [single]	**só de ida** *saw ji eedah*
round-trip [return]	**de ida-e-volta** *ji eedah ee vaw-wtah*
first class	**na primeira classe** *nah primayDah klah-si*
business class	**na classe executiva** *nah klah-si ayzaykoocheevah*
economy class	**na classe econômica** *nah klah-si aykohnohmikah*
How much is a flight to…?	**Quanto é a passagem [o bilhete] para…?** *kwuntoo eh ah pah-sahzhayng pahDah*
I'd like to… my reservation for flight number…	**Queria… a minha reserva no vôo…** *kiDeeah… ah meenyah hayzairvah noo vohoo*
cancel/change/confirm	**cancelar/mudar/confirmar** *kungsaylahr/moodahr/konfeermahr*

Inquiries about the flight Perguntas sobre o vôo

How long is the flight?	**Quanto tempo demora o vôo?** *kwuntoo taympoo daymawDah oo vohoo*
What time does the plane leave?	**A que horas parte o avião?** *ah ki awDus pahrchi oo ahveeung-w*
What time will we arrive?	**A que horas chegaremos?** *ah ki awDus shayguDaymmooz*
What time do I have to check in?	**A que horas tenho de fazer o check-in?** *ah ki awDus taynyoo ji fahzayr oo shekkeeng*

Checking in Check-in [Registro]

Where is the check-in counter for flight…?	**Onde é o check-in [registro] para o vôo…?** _onji eh oo shekkeeng [huhzheeshtroo] pahDah oo vohoo_
I have…	**Tenho…** _tay_nyoo
3 suitcases	**três malas** _trays mahlus_
2 carry-ons [pieces of hand luggage]	**duas bagagens de mão** _doo-us bahgahzhayngz ji mung-w_

O seu passaporte [bilhete], por favor	Your ticket/passport, please.
Prefere a janela ou corredor?	Would you like a window or an aisle seat?
Fumantes ou não-fumantes?	Smoking or non-smoking?
Quantas malas tem?	How many pieces of baggage do you have?
Pode levar trinta quilos de bagagem.	You are allowed 30 kilos of baggage.
Tem excesso de peso na sua bagagem.	You have excess baggage.
Isso é muito pesado/ volumoso para bagagem de mão.	That's too heavy/large for carry-on [hand baggage].
Tem de pagar um acréscimo de … por quilo em excesso.	You'll have to pay a supplement of… per kilo of excess baggage.
Foi o senhor/a senhora quem fez as malas?	Did you pack these bags yourself?
Contêm algum artigo cortante ou elétrico?	Do they contain any sharp or electronic items?

CHEGADAS	arrivals
PARTIDAS	departures
CONTROLE DE SEGURANÇA	security check
NÃO ABANDONAR A BAGAGEM	do not leave bags unattended

BAGGAGE ➤ 71

Information Informações

Is flight… delayed?	**O vôo… está atrasado?** oo <u>voh</u>-oo… istah ahtrah<u>zah</u>doo
How late will it be?	**De quanto é o atraso?** ji <u>kwun</u>too oo ah<u>trah</u>zoo
Has the flight from… landed?	**O avião de… já aterrissou [aterrou]?** oo ahvee-<u>ungw</u> ji… zhah ahtayhee-<u>soh</u>
Which gate does the flight to… leave from?	**Qual é o portão de embarque para…?** kwow eh oo pohr<u>tung</u>-w doo [um<u>bahr</u>kuh] pah<u>Dah</u>
Could I have a drink, please?	**Queria uma bebida, por favor.** ki<u>Dee</u>eah <u>oo</u>mah bay<u>bee</u>der poor fah<u>vohr</u>
Please wake me for the meal.	**Acorde-me para a refeição, por favor.** ah<u>kawr</u>ji-mi pah<u>Dah</u> ah hayfay-<u>sung</u>-w poor fah<u>vohr</u>
What time will we arrive?	**A que horas vamos chegar?** ah ki <u>aw</u>Dus <u>vum</u>moos shay<u>gahr</u>
I feel airsick.	**Estou com enjôo.** is<u>toh</u> koong in<u>zhoh</u>-oo
An airsickness bag, please.	**Um saco de enjôo, por favor.** oong <u>sah</u>koo ji in<u>zhoh</u>oo poor fah<u>vohr</u>

Arrival Chegada

Where is/are…?	**Onde é/ficam…?** <u>on</u>ji eh/<u>fee</u>kung-w
buses	**os ônibus** ooz <u>oh</u>niboos
car rental	**o aluguel de veículos** oo ahloo<u>gehw</u> ji vay-<u>ee</u>kooloos
exit	**a saída** ah sah-<u>ee</u>dah
taxis	**os táxis** oos <u>tah</u>ksis
telephone	**o telefone** oo taylay<u>foh</u>ni
Is there a bus into town?	**Há um ônibus [autocarro] para o centro?** ah oong <u>oh</u>niboos [owtoo<u>kah</u>-hoo] pah<u>Dah</u> oo <u>sayn</u>troo
How do I get to the… Hotel?	**Como vou para o hotel…?** <u>koh</u>moo voh pah<u>Dah</u> oo oh<u>tehw</u>

Baggage Bagagem

There are storage lockers (**guarda-volumes [cacifos]**) at the main bus and train stations. Carts are only available at airports.

Porter! Excuse me!	**Carregador! Por favor!** *kah-haygah<u>dohr</u> poor fah<u>vohr</u>*
Could you take my luggage to…?	**Pode levar minha bagagem ao…?** *<u>pawji</u> lay<u>vahr</u> <u>mee</u>nyah bah<u>gah</u>-zhayng ow*
a taxi/bus	**táxi/ônibus [autocarro]** *<u>tah</u>ksi/<u>oh</u>niboos [owtoo<u>kah</u>-hoo]*
Where is/are (the)…?	**Onde fica/estão…?** *<u>onji</u> <u>fee</u>kah/ist<u>ung</u>-w*
luggage carts [trolleys]	**os carrinhos** *oos kah-<u>hee</u>nyoos*
luggage lockers	**o guarda-volumes [cacifo]** *oo <u>gwahr</u>dah-voh<u>loo</u>mis*
baggage check [left-luggage office]	**o setor de bagagem extraviada** *oo say<u>tohr</u> ji bah<u>gah</u>zhayng istrahvee<u>ah</u>dah*
Where is the luggage from flight…?	**Onde está a bagagem do vôo…?** *<u>onji</u> is<u>tah</u> ah bah<u>gah</u>zhayng doo <u>voh</u>-oo*

Loss, damage, and theft Perdas, danos e roubos

I've lost the key/ticket.	**Perdi a chave/o comprovante [o talão].** *payr<u>jee</u> ah <u>shah</u>vi/oo komproh<u>vung</u>-chi [oo tah<u>lung</u>-w]*
My luggage has been lost/stolen.	**Perdi/Roubaram a minha bagagem.** *payr<u>jee</u>/hohbah<u>D</u>ung-w ah <u>mee</u>nyah bah<u>gah</u>zhayng*
My suitcase was damaged.	**Minha mala foi danificada.** *<u>mee</u>nyah <u>mah</u>lah fohy dunnifi<u>kah</u>dah*
Our luggage has not arrived.	**Nossa bagagem não chegou.** *<u>nos</u>sah bah<u>gah</u>zhayng nung-w shay<u>goh</u>*

Como é a sua bagagem?	What does your baggage look like?
Tem o comprovante [talão] da reclamação?	Do you have the claim check [reclaim tag]?
Sua bagagem…	Your luggage…
pode ter sido enviada para…	may have been sent to…
talvez chegue logo mais.	may arrive later today.
Por favor, volte amanhã.	Please come back tomorrow.
Ligue para este número, para saber se a sua bagagem já chegou.	Call this number to check if your baggage has arrived.

POLICE ➤ 152; COLOR ➤ 143

Train De trem [De comboio]

Expresso *ispressoo*
Express train running from Lisbon through Coimbra to Oporto (**Alfa** trains); regional trains (**Intercidades** and **Inter-regionais**) connect different areas of Portugal, offering fast and comfortable traveling.

Lisboa-Expresso *lizhboaer ishprehssoo*
Express train linking Lisbon with Madrid, reservation compulsory, surcharge payable; also **Lusitânia-Expresso** (Lisbon–Madrid) and **Sud-Express** (Lisbon-Paris), for which early booking is advisable.

Internacional *eentayrnah-syohnow*
Direct train for a trip abroad; you'll have to book a seat in advance, as only one car [carriage] crosses the border.

Rápido *hahpidoo*
Direct train, stops only at main stations, early booking advisable.

Regional *hayzhyonow*
Local train providing an opportunity to those with time to observe people and their habits.

Automotora *owtohmohtohDah*
Small diesel train used on short runs.

Correio *koh-hayoo*
Long-distance postal train, stops at all stations; also takes passengers.
The Portuguese railway, **Caminhos de Ferro Portugueses** (**C.P.**), handles almost all train services. Tickets can be purchased and reservations made in travel agencies and at train stations.
Check out the various reductions and travel cards available (for 7, 14, and 21 days). Rates are cheaper on "Blue Days" (**dias azuis**). A "Gold Card" is available for people over 65.
Lisbon has four main train stations, so don't go to the wrong one: Santa Apolónia (international, northern Portugal), Cais do Sodré (Estoril, Cascais, western suburbs), Rossio (Sintra and west), and Sul e Sueste (Algarve).

To the station Caminho da estação

How do I get to the train station?	**Como vou para a estação ferroviária [de caminho de ferro]?** <u>koh</u>moo voh pah<u>Dah</u> ah istah-<u>sung</u>-w fay-hohvee<u>ah</u>Dyah [kuh<u>mee</u>nyoo duh <u>fai</u>-hoo]
Do trains to… leave from… station?	**Os trens [comboios] para… partem da estação…?** oos trayngz [koomboh-yoosh] pah<u>Dah</u>… pah<u>r</u>tayng dah istah-<u>sung</u>-w
Can I leave my car there?	**Posso deixar o meu carro lá?** <u>pos</u>soo day<u>shahr</u> oo mayw <u>kah</u>-hoo lah

At the station Na estação

Where's the…?	**Onde é…?** <u>on</u>ji eh
baggage check [left-luggage office]	**o bagageiro [o depósito da bagagem]** oo buhguhzhay<u>Doo</u> [oo day<u>paw</u>zitoo ji bah<u>gah</u>-zhayng]
currency exchange	**a agência de câmbio** ah ah<u>zhayn</u>syah ji <u>kum</u>byoo
snack bar	**a lanchonete** ah lunshoh<u>neh</u>chi
ticket office	**a bilheteria** ah bilyaytay<u>Dee</u>ah
waiting room	**a sala de espera** ah <u>sah</u>lah ji is<u>peh</u>Dah
Where is/are the…?	**Onde fica…?** <u>on</u>ji <u>fee</u>kah
information desk	**o guichê de informações** oo ghi<u>shay</u> ji infohrmah-<u>soyngs</u>
lost-and-found [lost property office]	**a seção de achados e perdidos** ah say<u>sung</u>-w ji ah<u>shah</u>dooz i payr<u>jee</u>doos
luggage lockers	**o guarda-volumes** *(Portugal only)* oo <u>gwahr</u>dah voh<u>loo</u>mis
platforms	**a plataforma** ah plahtah<u>fawr</u>mah

ENTRADA	entrance
SAÍDA	exit
PARA AS PLATAFORMAS	to the platforms
INFORMAÇÕES	information
RESERVAS	reservations
CHEGADAS	arrivals
PARTIDAS	departures

DIRECTIONS ➤ 94

Tickets Passagens

I'd like a… ticket to Faro.	**Queria uma passagem… para Faro.** kiDeeah oomah pah-sahzhayng… pahDah fahDoo
one-way [single]	**de ida** ji eedah
round-trip [return]	**de ida-e-volta** ji eedah ee vaw-wtah
first/second class	**de primeira/segunda classe** ji primayDah/saygoondah klah-si
I'd like a discounted ticket.	**Queria meia passagem [meio bilhete].** kiDeeah mayah pah-sahzhayng [mayoo beelyaytuh]
I'd like to reserve a(n)…	**Queria reservar…** kiDeeah hayzayrvahr
seat	**um lugar** oong loogahr
aisle seat	**um lugar no corredor [de coxia]** oong loogahr noo koh-haydohr [duh koosheeuh]
window seat	**um lugar na janela** oong loogahr nah zhunnellah
berth	**um beliche** oong bayleeshi
Is there a sleeping car [sleeper]?	**Há vagão-leito [carruagem-cama]?** ah vahgung-w laytoo [kuh-hooahzhayng kummuh]
I'd like a(n)… berth.	**Queria um beliche…** kiDeeah oong bayleeshi
upper/lower	**superior/inferior** soopayDyohr/ingfayDyohr
Can I buy a ticket on board?	**Posso comprar o bilhete no trem [no comboio]?** possoo kohmprahr oo bilyaychi noo trayng [koomboh-yoo]

Prices Preços

How much is that?	**Quanto custa?** kwuntoo koostah
Is there a discount for…?	**Há desconto para…?** ah diskontoo pahDah
children/families	**crianças/grupos/** kri-unsus/groopoos
senior citizens	**idosos [reformados]/aposentados** eedawzoos [huhfoormahdoosh]/ ahpohzentahdoos
students	**estudantes** istoodunchis
Do you offer a cheap same-day round-trip ticket?	**Há desconto para ida-e-volta no mesmo dia?** ah diskontoo pahDah eedah ee vaw-wtah noo mayzmoo jeeah

Queries Perguntas

Do I have to change trains?	**Tenho de fazer baldeação? [mudar de comboio]** *taynyoo ji fahzayr bowjiahsung-w [moodahr duh koomboh-yoo]*
It's a direct train.	**É direto.** *eh deeDettoo*
You have to change at…	**Tem de fazer baldeação [mudar] em…** *tayng ji fahzayr bowjiahsung-w [moodahr] ing*
How long is this ticket valid?	**Esta passagem é válida por quanto tempo?** *ehstah pah-sahzhayng eh vahlidah poor kwuntoo taympoo*
Can I take my bicycle on the train?	**Posso levar minha bicicleta no trem [no comboio]?** *possoo layvahr meenyah beeseeklettah noo trayng [koomboh-yoo]*
Can I return on the same ticket?	**Esta passagem é válida [Este bilhete é válido] para a volta.** *estah pah-sahzhayng eh vahlidah [ayshtuh beelyaytuh eh vahlidoo] pahDah ah vaw-wtah*
In which car [coach] is my seat?	**Em que vagão [compartimento] fica o meu lugar?** *ing ki vahgung-w [koompurtimayntoo] feekah oo mayw loogahr*
Is there a dining car on the train?	**Há restaurante no trem [comboio]?** *ah sayree-soo ji haystowDunchi noo trayng [koomboh-yoo]*

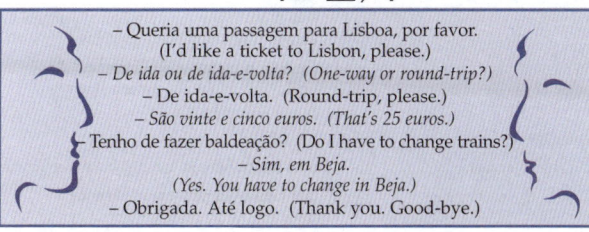

– Queria uma passagem para Lisboa, por favor.
(I'd like a ticket to Lisbon, please.)
– *De ida ou de ida-e-volta?* (One-way or round-trip?)
– De ida-e-volta. (Round-trip, please.)
– *São vinte e cinco euros.* (That's 25 euros.)
– Tenho de fazer baldeação? (Do I have to change trains?)
– *Sim, em Beja.*
(Yes. You have to change in Beja.)
– Obrigada. Até logo. (Thank you. Good-bye.)

Train times Horários de trens [comboios]

Could I have a timetable, please?	**Quais são os horários, por favor?** *kwighs sung-w ooz ohDahDyoos poor fahvohr*
When is the… train to Porto (Portugal)?	**Quando sai o… trem para o Porto?** *kwundoo sigh oo… trayng pahDah pohrtoo*
first/next/last	**primeiro/próximo/último** *primayDoo/prossimoo/oochimoo*

BASIC EXPRESSIONS ➤ 12–19

How frequent are the trains to…?	**Qual é a freqüência dos trens [comboios] para…?** *kwow eh ah fraykwaynsyah doos trayngs [koomboh-yoosh] pahDah*
once/twice a day	**um/dois por dia** *oong/dohys poor jeeah*
5 times a day	**cinco por dia** *seenkoo poor jeeah*
every hour	**de hora em hora** *ji awDah ing awDah*
What time do they leave?	**A que horas partem?** *ah kee awDus pahrtayng*
on the hour	**na hora** *nah awDah*
20 minutes past the hour	**vinte minutos depois da hora** *veenchi minootoos daypohys dah awDah*
What time does the train arrive in…?	**A que horas o trem [comboio] chega a…** *ah kee awDuz oo trayng [koomboh-yoo] shaygah ah…*
How long is the trip [journey]?	**Quanto tempo demora a viagem?** *kwuntoo taympoo daymawrah ah vee-ahzhayng*
Is the train on time?	**O trem [comboio] está no horário [vem à tabela]?** *oo trayng [koomboh-yoo] istah noo ohDahryoo [vayng ah tuhbelluh]*

Departures Partidas

Which platform does the train to… leave from?	**De que plataforma [linha] parte o trem [comboio] para…?** *ji ki plahtahfawrmah [leenyah] pahrchi oo trayng [koomboh-yoo] pahDah*
Where is platform 4?	**Onde é a plataforma [linha] n.º 4?** *onji eh ah plahtahfawrmah [leenyah] noomayDoo kwahtroo*
over there	**ali** *ahlee*
on the left/right	**à esquerda/direita** *ah iskayrdah/jeeDaytah*
under the underpass	**por baixo da passagem inferior** *poor bighshoo dah pah-sahzhayng eenfayDyohr*
Where do I change for…?	**Onde é que faço baldeação [mudo] para…?** *onji eh ki fahsoo bowjiahsung-w [moodoo] pahDah*
How long will I have to wait for a connection?	**Quanto tempo tenho de esperar pela conexão [ligação]?** *kwuntoo taympoo ttaynyoo ji eespayDahr paylah kohnaykisung-w [leeguh-sung-w]*

TIME ➤ 220; DIRECTIONS ➤ 94

Boarding À partida

Is this the right platform for the train to…?	**É daqui que parte o trem [comboio] para…?** *eh dah<u>kee</u> ki <u>pahr</u>chi oo trayng [koomboh-yoo] pah<u>Dah</u>*
Is this the train to…?	**É este o trem [comboio] para…** *eh <u>ays</u>-chi oo trayng pah<u>Dah</u>*
Is this seat taken?	**Este lugar está ocupado?** *<u>ays</u>-chi loo<u>gahr</u> is<u>tah</u> ohkoo<u>pah</u>doo*
I think that's my seat.	**Acho que esse é o meu lugar.** *<u>ah</u>shoo ki <u>ays</u>si eh oo mayw loo<u>gahr</u>*
Are there any seats/berths available?	**Há lugares/beliches vagos?** *ah loo<u>gah</u>Dis/bay<u>lee</u>shis <u>vah</u>goos*
Do you mind…?	**Importa-se…?** *eem<u>pawr</u>tah-si*
if I sit here	**que eu me sente aqui** *ki ayw mi <u>sayn</u>chi ah<u>kee</u>*
if I open the window	**que eu abra a janela** *ki ayw <u>ah</u>brah ah zhun<u>nell</u>ah*

During the trip Na viagem

How long are we stopping here?	**Quanto tempo ficaremos parados aqui?** *<u>kwun</u>too <u>taym</u>poo feekah<u>Day</u>moos pah<u>Dah</u>doos ah<u>kee</u>*
When do we get to…?	**Quando chegaremos a…?** *<u>kwun</u>doo shaygah<u>Day</u>mooz ah*
Have we passed…?	**Já passamos por…?** *zhah pah-<u>sum</u>moos poor*
Where is the dining/ sleeping car?	**Onde é o vagão- [carruagem-] restaurante/ a cabine [cama]?** *<u>on</u>ji eh oo vah<u>gung</u>-w [kuh-hooah<u>zhayng</u>] haystow<u>Dun</u>chi/ ah kah<u>bee</u>ni [<u>kum</u>muh]*
Where is my berth?	**Onde é o meu beliche?** *<u>on</u>ji eh oo mayw bay<u>lee</u>shi*
I've lost my ticket.	**Perdi a minha passagem [o meu bilhete].** *pay<u>rjee</u> ah <u>mee</u>nyuh puh-sah<u>zhayng</u> [oo mayw bil<u>yay</u>chi]*

FREIO [TRAVÃO] DE EMERGÊNCIA	emergency brake
ALARME	alarm
PORTAS AUTOMÁTICAS	automatic doors

TIME ➤ 220

Long-distance bus [Coach]
Transporte rodoviário [Camioneta]

In Brazil, intercity buses are fairly cheap and comfortable, usually with air conditioning. If you are traveling overnight, look for **leitos**, buses with reclining seats, clean sheets, and pillows provided. Tickets (**passagens**) are available from bus stations (**rodoviárias**). Intercity bus services are frequent and cover most of Portugal. Some buses are run by the Portuguese Transport Company, **Rodoviária Nacional** (**R.N.**), others are private.

Where is the bus station?	**Onde é a estação rodoviária [de camionetas]?** <u>on</u>ji eh ah istah<u>sung</u>-w hohdohvee<u>ah</u>Dyah [kummyoo<u>net</u>-tus]
When's the next bus [coach] to…?	**A que horas sai o próximo ônibus [a próxima camioneta] para…?** ah kee <u>aw</u>Dus sigh oo [ah] <u>pross</u>ymoo [ah] <u>oh</u>niboos [kummyoo<u>net</u>-tus] <u>pah</u>Dah
Which stop does it leave from?	**Onde é o ponto [a parada]?** <u>on</u>ji eh oo <u>pohn</u>too [ah puh<u>Dah</u>duh]
Does the bus stop at…?	**O ônibus [a camioneta] pára em…?** oo <u>oh</u>niboos [ah kummyoo<u>net</u>-tus] <u>pah</u>Dah ing
How long does the trip take?	**Quanto tempo demora a viagem?** <u>kwun</u>too <u>taym</u>poo day<u>maw</u>Dah ah vee<u>ah</u>zhayng

Bus/Streetcar Ônibus urbano [Autocarros]

In most buses you pay a flat fare to the driver as you enter, or buy a booklet of tickets from bus company kiosks.

Where is the bus station?	**Onde fica o ponto de ônibus [a paragem de autocarros]?** <u>on</u>ji <u>fee</u>kah oo <u>pohn</u>too ji <u>oh</u>niboos [puh<u>Dah</u>zhayng dy owtoo<u>kah</u>-hoos]
Where can I get a tram to…?	**Onde posso pegar um ônibus [autocarro] para…?** <u>on</u>ji <u>poss</u>oo pay<u>gahr</u> oong <u>oh</u>niboos [owtoo<u>kah</u>-hoo] <u>pah</u>Dah
What time is the bus to…?	**A que horas sai o ônibus [autocarro] para…?** ah ki <u>aw</u>Dush sigh sigh oo <u>oh</u>niboos [owtoo<u>kah</u>-hoo] <u>pah</u>Dah

PARADA DE ÔNIBUS [PARADA DE AUTOCARROS]	bus stop
PROIBIDO FUMAR	no smoking
SAÍDA DE EMERGÊNCIA	(emergency) exit

DIRECTIONS ➤ 94; TIME ➤ 220

Buying tickets Para comprar passagem [bilhetes]

Where can I buy tickets? **Onde posso comprar passagem [bilhetes]?** _onji possoo kohmprahr pah-sahzhayng [beelyaytush]_

A… ticket/train pass to… **Uma passagem [um bilhete] para…** _oomah pah-sahzhayng [oong beelyaytuh]… pahDah_

one-way [single] **só de ida** _saw ji eedah_

round-trip [return] **de ida-e-volta** _ji eedah ee vaw-wtah_

day/weekly/monthly **para o dia/semanal/mensal** _pahDah oo jeeah/saymahnow/mayngsow_

a booklet of tickets **Uma cartela de passagens [um livro de bilhetes]** _oomuh kurtelluh duh puh-sahzhayngsh [oong leevroo ji bilyaychis]_

How much is the fare to…? **Quanto é a passagem [o bilhete] para…?** _kwuntoo eh ah pah-sahzhayng [oo beelyaytuh] pahDah_

Traveling Para viajar

Is this the right bus to…? **É este o ônibus [autocarro] para…?** _eh ays-chi oo ohniboos [owtookah-hoo] pahDah_

Could you tell me when to get off? **Pode me dizer onde devo descer?** _pawji mi deezayr onji dayvoo day-sayr_

Do I have to change trams/buses? **Tenho de fazer baldeação [mudar de autocarro]?** _taynyoo ji fahzayr bowjiahsung-w [moodahr duh owtookah-hoo]_

How many stops are there to…? **Há quantos pontos até…?** _ah kwuntoos pohntoos ahteh_

Next stop! **É no próximo ponto [É na próxima paragem]!** _eh no prossimoo pohntoo [eh nuh praw-simuh puhDahzhayng]_

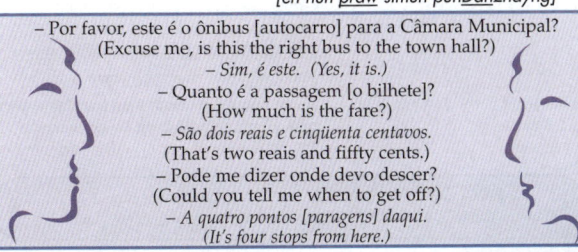

– Por favor, este é o ônibus [autocarro] para a Câmara Municipal?
(Excuse me, is this the right bus to the town hall?)
– _Sim, é este._ (Yes, it is.)
– Quanto é a passagem [o bilhete]? (How much is the fare?)
– _São dois reais e cinqüenta centavos._
(That's two reais and fifffty cents.)
– Pode me dizer onde devo descer?
(Could you tell me when to get off?)
– _A quatro pontos [paragens] daqui._
(It's four stops from here.)

NUMBERS ➤ 216; DIRECTIONS ➤ 94

Subway [Metro] Metrô

São Paulo, Rio de Janeiro, Belo Horizonte, Porto Alegre, and Recife have modern subway systems, though not covering the whole city. Tickets available are: **unitário** (one-way), and **integração** (1 metro + 1 bus).

The subway system in Lisbon has two main lines. Buy a single flat-rate ticket (**senha**) or a booklet of ten tickets at ticket offices or automatic machines, found in every station.

General inquiries Perguntas gerais

Where's the nearest subway [metro] station?	**Onde fica a estação de metrô mais próxima?** <u>on</u>ji <u>fee</u>kah ah istah-<u>sung</u>-w ji may<u>troh</u> mighs <u>pross</u>imah
Where can I buy tickets?	**Onde posso comprar bilhetes?** <u>on</u>ji <u>pos</u>soo kohm<u>prahr</u> bil<u>yay</u>chis
Could I have a map of the subway [metro]?	**Pode me dar um mapa do metrô?** <u>paw</u>ji mi dahr oong <u>mah</u>pah doo may<u>troh</u>

Traveling Para viajar

Which line should I take for…?	**Qual é a linha para…?** kwow eh ah <u>lee</u>nyah pah<u>Dah</u>
Is this the train for…?	**Este trem [comboio] vai para…?** <u>ays</u>-chi trayng [koom<u>boh</u>-yoo] vigh pah<u>Dah</u>
Which stop is it for…?	**Qual é a estação para…?** kwow eh ah istah-<u>sung</u>-w pah<u>Dah</u>
How many stops is it to…?	**São quantas estações até a/o…?** sung-w <u>kwun</u>tuz istah-<u>soyngz</u> ah<u>teh</u> ah/oo
Is the next stop…?	**A próxima estação é o/a…?** ah <u>pross</u>imah istah-<u>sung</u>-w eh oo/ah
Where are we?	**Onde estamos?** <u>on</u>ji is<u>tum</u>moos
Where do I change for…?	**Onde devo fazer baldeação [mudar de comboio] para…?** <u>on</u>ji <u>day</u>voo fah<u>zayr</u> bowdyah-<u>sung</u>-w [moo<u>dahr</u> duh koom<u>boh</u>-yoo]
What time is the last train to…?	**A que horas é o último trem [comboio] para o/a…?** ah ki <u>aw</u>Duz eh oo <u>oo</u>chimoo trayng [koom<u>boh</u>-yoo] pah<u>Dah</u> oo/ah

PARA OUTRAS LINHAS/ CONEXÃO [CORRESPONDÊNCIA]	to other lines/ transfer

NUMBERS ➤ 216; BUYING TICKETS ➤ 74, 79

Ferry Balsa

In Brazil there are specially organized cruises in all coastal towns for visits to main beaches and nearby islands. Transport between Belém, Manaus and Santarém can also be done by boat across the Amazon river, departing from **hidroviárias** (ferry terminals); for the long night journey, a hammock on deck is preferable to a hot cabin.
Cruises on the Amazon are run by the state-owned **Empresa de Navegação da Amazônia** (**E.N.A.S.A.**) and a number of private companies. Popular cruises in Portugal run down the Douro and Tagus rivers and all along the Algarve coast in Portugal.

When is the… boat/car ferry to…?	**Quando sai… a balsa [o barco] para…?** _kwun_doo sigh… ah _bow_-sah pah_Dah_
first/next/last	**O/a primeiro/a/próximo/a/última/a** oo/ah pri_may_doo/ah/_prossi_moo/ah/_oo_chimoo/ah
hovercraft/ship	**barco/balsa** _bahr_koo/_bow_-sah
A round-trip [return] ticket for…	**Um bilhete de ida-e-volta para…** oom bil_yay_chi ji _ee_dah ee _vaw_-wtah pah_Dah_
one car and one trailer	**um carro e um trailer [reboque]** oong _kah_-hoo ee oong _tray_layr [hay_baw_ki]
two adults and three children	**dois adultos e três crianças** dohyz ah_doo_tooz ee trays kri-_un_sus
I'd like to reserve a… cabin.	**Gostaria de reservar uma cabine…** gohstah_Dee_ah ji hayzayr_vahr_ _oo_mah kah_bee_ni
single/double	**individual/dupla** eenjividoo-_ow_/_doo_plah

BOTE [BARCO] SALVA-VIDAS	lifeboat
CINTO DE SEGURANÇA [DE SALVAÇÃO]	life preserver [lifebelt]
POSTO DE INSPEÇÃO	muster station
PROIBIDO O ACESSO	no access

Boat trips Excursões de barco

Is/Are there…?	**Há… ?** ah
river cruise/boat trips	**um cruzeiro no rio/excursões de barco** oong kroo_zay_Doo noo _hee_oo/ ishkoor_soyngs_ ji _bahr_koo
What time does it leave/return?	**A que horas parte/retorna?** ah ki _aw_Dus _pahr_chi/hay_taw_rnah

TIME ➤ 220; BUYING TICKETS ➤ 74, 79

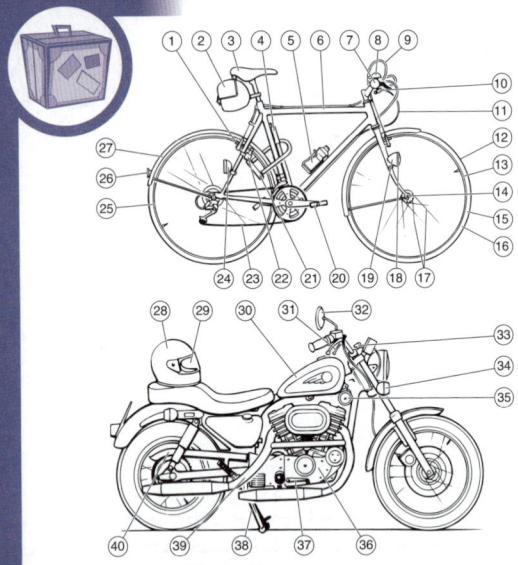

1. brake pad **calço** m **do freio [travão]**
2. bicycle bag **bolsa [saco]** f **de bicicleta**
3. seat [saddle] **selim** m
4. pump **bomba** f
5. water bottle **garrafa** f **de água**
6. frame **quadro** m
7. handlebars **guidão [guiador]** m
8. bell **buzina [campainha]** f
9. brake cable **cabo** m **do freio [travão]**
10. gear shift [lever] **alavanca** f **de marchas [das velocidades]**
11. gear control cable **cabo** m **de marchas [direcção]**
12. inner tube **câmara-de-ar** f
13. front/back wheel **roda** f **dianteira/traseira**
14. axle **eixo** m
15. tire [tyre] **pneu** m
16. wheel **roda** f
17. spokes **raios** mpl
18. bulb **lâmpada** f
19. headlamp **farol** m **dianteiro**
20. pedal **pedal** m
21. lock **cadeado** m
22. generator [dynamo] **dínamo** m
23. chain **corrente** f
24. rear light **farol** m **traseiro**
25. rim **aro** m
26. reflectors **refletores** mpl
27. fender [mudguard] **pára-lamas [guarda-lama]** m
28. helmet **capacete** m
29. visor **viseira** f
30. fuel tank **tanque [depósito]** m **de gasolina**
31. clutch **alavanca** f **de embreagem [embraiagem]**
32. mirror **retrovisor [espelho]** m
33. ignition switch **chave** f **de ignição**
34. turn signal [indicator] **pisca-pisca** m
35. horn **buzina** f
36. engine **motor** m
37. gear shift [lever] **alavanca** f **das marchas [velocidades]**
38. kick stand **apoio [assento]** m
39. exhaust pipe **cano [tubo]** m **de escapamento [escape]**
40. chain guard **protetor de corrente**

REPAIRS ➤ 89

Bicycle/Motorbike Bicicleta/Motocicleta

I'd like to rent a…	**Queria alugar uma…** ki<u>Dee</u>ah ahloogar oomah
3-/10-speed bicycle	**bicicleta de 3/10 marchas [velocidades]** beesee<u>klet</u>tah ji trays/dehs <u>mahr</u>shahs [vaylohsi<u>dah</u>jis]
moped	**moto [lambreta]/scooter [acelera]** <u>maw</u>too/is<u>koo</u>tayr [uhsuh<u>lai</u>Duh]
mountain bike	**mountain bike** <u>mohn</u>tung <u>bigh</u>ki
motorbike	**motocicleta** mohtoh-see<u>klet</u>tah
How much does it cost per hour/day?	**Quanto custa por hora/dia?** kwuntoo <u>koos</u>ter poor <u>aw</u>Dah/<u>jee</u>ah
Do you require a deposit?	**Preciso deixar um sinal?** pray-<u>see</u>zoo day<u>shahr</u> oong <u>see</u>now
The brakes don't work.	**Os freios [travões] não funcionam.** oos <u>fray</u>oos [truh<u>voyngsh</u>] nung-w foons<u>yon</u>nung-w
There isn't a pump.	**Está sem a bomba.** istah sayng ah <u>bohm</u>bah
The lights are boken.	**As lâmpadas não acendem.** ahz <u>lum</u>pahdahz nung-w ah-<u>sayn</u>dayng
The front/rear tire [tyre] has a flat [puncture].	**O pneu dianteiro/traseiro está furado.** oo pin<u>ayw</u> jee-un<u>tay</u>Doo/trah<u>zay</u>Doo istah foo<u>Dah</u>doo

Hitchhiking Carona [À boleia]

Always take care before hitchhiking anywhere, moreover in Brazil, where it is an unusual practice, mainly with strangers.

Where are you heading?	**Para onde vai?** <u>pah</u>Dah <u>on</u>ji vigh
I'm heading for…	**Vou para…** voh <u>pah</u>Dah
Can you give me/us a lift?	**Pode me/nos dar uma carona [boleia]?** <u>paw</u>ji mi/noos dahr <u>oo</u>mah kah<u>roh</u>nah [boo<u>lai</u>-yuh]
Is that on the way to…?	**Isso fica no caminho de…?** <u>ees</u>soo <u>fee</u>kah noo kum<u>mee</u>nyoo ji
Could you drop me off…?	**Pode me deixar…?** <u>paw</u>ji mi day<u>shahr</u>
here/at the… exit	**aqui/na… saída** ah<u>kee</u>/nah… sah-<u>ee</u>dah
downtown	**no centro** noo <u>sayn</u>troo
Thanks for the lift.	**Obrigado(-a) pela carona [boleia].** ohbri<u>gah</u>doo(-ah) <u>pay</u>lah kah<u>Doh</u>nah [boo<u>lai</u>-yuh]

DIRECTIONS ➤ 94; DAYS OF THE WEEK ➤ 218

Taxi/Cab Táxi

All Brazilian taxis have meters, except in small towns, where the fare should be agreed in advance.

Taxis in Portugal are cream colored or black with a green roof. Rural taxis, including those at airports, are marked "A" (**aluguel**) and are usually unmetered, but follow a standard-fare table.

Where can I get a taxi?	**Onde posso pegar [apanhar] um táxi?** <u>on</u>ji <u>pos</u>soo pay<u>gahr</u> [uhpuh<u>nyahr</u>] oong <u>tah</u>ksi
Do you have the number for a taxi?	**Tem o número de telefone do ponto de táxi?** tayng oo <u>noo</u>mayDoo ji taylay<u>foh</u>ni doo <u>pohn</u>too ji <u>tah</u>ksi
I'd like a taxi…	**Queria um táxi…** ki<u>Dee</u>ah oong <u>tah</u>ksi
now/in an hour	**agora/daqui a uma hora** ah<u>gaw</u>Dah/dah<u>kee</u> ah <u>oo</u>mah <u>aw</u>Dah
for tomorrow at 9:00	**amanhã, às 9 horas** ahmung-<u>nyung</u> ahz <u>naw</u>vi <u>aw</u>Dus
The address is…	**O endereço [a morada] é…** oo inday<u>Days</u>soo [uh moo<u>Dah</u>dah] eh…
I'm going to…	**Vou para…** voh <u>pah</u>Dah
Please take me to…	**Leve-me…** <u>leh</u>vi-mi
airport	**ao aeroporto** ow ah-eh<u>Doh</u><u>pohr</u>too
rail station	**à estação de trem [dos comboios]** ah istah-<u>sung</u>-w ji trayng [doosh koom<u>boh</u>-yoosh]
… Hotel	**ao hotel…** ow oh<u>tehw</u>
this address	**a este endereço [esta morada]** ah <u>ay</u>schi inday<u>Days</u>soo [<u>ai</u>shtuh moo<u>Dah</u>dah]
How much will it cost?	**Quanto vai custar?** <u>kwun</u>too vigh koo<u>stahr</u>
Please stop here.	**Pare aqui, por favor.** <u>pah</u>Di ah<u>kee</u> poor fah<u>vohr</u>
How much is that?	**Quanto é?** <u>kwun</u>too eh
You said… reais/euros.	**Disse… reais/euros.** <u>jees</u>si… hay-<u>ighs</u>/<u>ayw</u>Doosh
Keep the change.	**Fique com o troco.** <u>fee</u>ki koong oo <u>troh</u>koo

– Leve-me à estação de trem [dos comboios], por favor.
(Take me to the train station.)
– Pois não. (Certainly.)
– Quanto devo pagar? (How much will it cost?)
– Trinta euros. Chegamos
(30 euros… Here we are.)
– Obrigada. Fique com o troco. (Thank you. Keep the change.)

Car/Automobile Automóvel

In Brazil and Portugal, the minimum driving age is 18, but 21, in Portugal, for rental cars. While driving the following documents must be carried at all times: valid driver's license, vehicle registration document, and insurance documentation. In Brazil, to get autorization to drive vehicles, is required to present valid driver license and to pay a tax to Detran (transit department).

In Portugal, a special certificate (**autorização**) is required if the vehicle you are driving is not registered in your name. Insurance for minimum third party risks is compulsory in Europe. It is recommended that you take out international motor insurance (Green Card) through your insurer.

Essential equipment: warning triangle, nationality plate, a set of spare headlight and taillight bulbs. Seat belts (**o cinto de segurança**) are compulsory in Portugal, but are obligatory in Brazil. Children under 12 must travel in the rear.

Traffic from the right has priority in Portugal, unless otherwise indicated. The use of horns is prohibited in built-up areas except for emergencies. Alcohol limit in blood: max. 0,6 g/l in Brazil and 50mg/100ml in Portugal.

Conversion chart

km	1	10	20	30	40	50	60	70	80	90	100	110	120	130
miles	0.62	6	12	19	25	31	37	44	50	56	62	68	74	81

Road network

Portugal	**AE** – highway [motorway]; **EP** – principal road; **EN** – national road; **EM** – municipal road, **CM** – secondary municipal road

Speed limits	Built-up area	Outside built-up area	Highway [motorway]
Brazil	60 or 70 (Km) max.	90 (56)	120 (74)
Portugal	50 (31) max.	90 (56)	120 (74)

Some highways [motorways] and bridges are subject to tolls **pedágio** [**portagem**].

Fuel

Gas [Petrol] Portugal	Leaded **Regular (85)/ Super (98)**	Unleaded **Super (95/98)**	Diesel **gasóleo/diesel**

Brazilians also use **álcool** (a mixture of petroleum and alcohol) as a fuel, so you have to specify whether you want that or **gasolina** (gas [petrol]).

Car rental Aluguel de automóveis

In Portugal, third-party insurance is included in the basic rental charge. Most firms require a minimum age of 21; holders of major credit cards are normally exempt from deposit payments. In Brazil, insurance may only cover 80% of the full cost of theft.

Where can I rent a car?	**Onde posso alugar um carro?** _onji possoo ahloogahr oong kah-hoo_
I'd like to rent a(n)…	**Queria alugar…** _ki<u>Dee</u>ah ahloogahr_
2-/4-door car	**um carro de 2/4 portas** _oong <u>kah</u>-hoo ji <u>doo</u>-us/<u>kwah</u>troo <u>pawr</u>tus_
automatic	**um carro com direção hidráulica** _oong <u>kah</u>-hoo koong ji<u>Day</u>-sung-w idrowlikah_
car with 4-wheel drive	**um carro com tração nas 4 rodas** _oong <u>kah</u>-hoo koong trah-<u>sung</u>-w nus <u>kwah</u>troo <u>haw</u>dus_
car with air conditioning	**um carro com ar-condicionado** _oong <u>kah</u>-hoo koong ahr konjee-syoh<u>nah</u>doo_
I'd like it for a day/week.	**Queria-o por um dia/uma semana.** _ki<u>Dee</u>ah oo poor oong <u>jee</u>ah/<u>oo</u>mah say<u>mun</u>nah_
How much does it cost per day/week?	**Quanto é por dia/semana?** _<u>kwun</u>too eh poor <u>jee</u>ah/say<u>mun</u>nah_
Is mileage included?	**A quilometragem está incluída?** _uh keeloomuh<u>trah</u>zhayng is<u>tah</u> inkloo<u>ee</u>doah_
Is insurance included?	**O seguro está incluído?** _oo say<u>goo</u>Doo is<u>tah</u> inkloo<u>ee</u>doah_
Are there special weekend rates?	**Há tarifas especiais para os fins de semana?** _ah tah<u>Dee</u>fus ispaysi-<u>igh</u>s pah<u>Dah</u> oos feens ji say<u>mun</u>nah_
Can I return the car at your office in…?	**Posso deixar o carro na sua agência em…?** _<u>pos</u>soo day<u>shah</u>r oo <u>kah</u>-hoo nah <u>soo</u>ah ah<u>zhayn</u>syah ing_
What kind of fuel does it take?	**Que combustível utiliza?** _ki kohmboos<u>chee</u>vayw ooche<u>lee</u>zah_
Could I have full insurance?	**Pode ser com seguro total?** _<u>paw</u>ji sayr koong say<u>goo</u>Doo toh<u>tow</u>_

Gas [petrol] station No posto [nas bombas] de gasolina

Where's the next gas [petrol] station, please?	**Onde é o posto [a bomba de gasolina] mais próximo?** _onji eh oo pohstoo [bohmbuh duh guhzooleenuh] mighsh prossimoo_
Is it self-service?	**É auto-serviço?** _eh owtoo-sayrveessoo_
Fill it up, please.	**Encha o tanque [depósito], por favor.** _aynshah oo tunki [duhpawzitoo] poor fahvohr_
… liters, please.	**… litros, por favor.** _leetroos poor fahvohr_
premium [super]/regular	**aditivada/comum** _ahjeechivahdah/koomoong_
lead-free/diesel	**álcool/diesel** _owkoh/awlyoo jeezayw_
I'm at pump number…	**Estou na bomba número…** _istoh nah bohmbah noomayDoo_
Where is the air pump/water?	**Onde posso calibrar os pneus?** _onji possoo kahlibrahr oos pinayws_

PREÇO POR LITRO price per liter/litre

Parking Estacionamento

In Brazil, permits may be sold by traffic wardens or at street stalls. The use of parking lots is advisable in Brazilan cities to avoid parking fines, car theft, and offers to "look after" your car.

In Portugal, metered parking is common in most towns. Certain cities have blue zones; parking tokens/discs are available from the police or the Portuguese motoring organization (**ACP**).

Is there a parking lot [car park] nearby?	**Há um estacionamento aqui perto?** _ah oong istahsyohnahmayntoo ahkee pehrtoo_
What's the charge per hour/day?	**Qual é o preço [tarifa] por hora/dia?** _kwow eh oo prayssoo [uh tuhDeefuh] poor awDah/jeeah_
Where do I pay?	**Onde pago?** _onji pahgoo_
This parking has insurance?	**Este estacionamento tem seguro?** _ayschi istahsyonamayntoo tayng saygooDoo_

NUMBERS ➤ 216; DIRECTIONS ➤ 94

Breakdown Defeito mecânico [Avaria]

In Portugal, for help in the event of a breakdown: refer to your breakdown assistance documents; or if you are far from a service station: ☎ 115 (Portugal); or contact the **Automóvel Club de Portugal**.

Where is the nearest garage?	**Onde fica a oficina [garagem] mais próxima?** _onji feekah ah ohfisseenah mighs prossimah_
My car broke down.	**Meu carro quebrou [tive uma avaria].** _mayw kah-hoo kaybroh [teevi oomuh uhvuhDeeuh]_
Can you send a mechanic/ tow [breakdown] truck?	**Pode me mandar um mecânico/ guincho?** _pawji mi mundahr oong maykunnikoo/gheenshoo_
My insurance is...	**Minha seguradora é a...** _meenyah saygooDadohDah eh ah_
My license plate [registration] number is...	**A placa do meu carro é... [A minha matrícula é...]** _ah plahkah doo mayw kah-hoo eh [uh meenyuh muhtreekooluh eh]_
The car is...	**O carro está...** _oo kah-hoo istah_
on the highway [motorway]	**na rodovia [auto-estrada]...** _nah hohdohveeah [owtoo-ishtrahduh]_
2 km from...	**a dois km de...** _ah dohys keelohmaytroos ji_
How long will you be?	**Quanto tempo vai demorar?** _kwuntoo taympoo vigh daymohDahr_

What's wrong? Qual é o problema?

I don't know what's wrong.	**Não sei qual é o problema.** _nung-w say kwow eh oo prohblaymah_
My car won't start.	**O motor não pega.** _oo mohtohr nung-w pehgah_
The battery is dead.	**A bateria está descarregada.** _ah bahtayDeeah istah jiskah-haygahdah_
I've run out of gas [petrol].	**Acabou a gasolina.** _ahkahboh ah gahzohleenah_
I have a flat [puncture].	**O pneu está furado.** _oo pinayw istah fooDahdoo_
There is something wrong with...	**Há algum problema no(-a)...** _ah owgoong problaymah noo(-ah)_
I've locked the keys in the car.	**Tranquei o carro com as chaves dentro.** _trunkay oo kah-hoo koong us shahvis dayntroo_

TELEPHONING ➤ 127; CAR PARTS ➤ 90–91

Repairs Reparos [Reparações]

Do you do repairs?	**Conserta automóvel [Faz reparações]?** *konsairtah owtohomawvayw [fash huhpuhDuhssoyngsh]*
Can you repair it (temporarily)?	**Pode consertá-lo [arranjá-lo]? (provisoriamente)?** *pawji konsayrtah-loo (proovizawDyuhmayntuh)*
Please make only essential repairs.	**Faça apenas os reparos [consertos] essenciais.** *fah-sah ahpaynus oos haypahDoos [koonsayrtoosh] aysaynsyighs*
Can I wait for it?	**Vale a pena esperar?** *vahli ah paynah ispayDahr*
Can you repair it today?	**Pode consertá-lo hoje?** *pawji konsayrtahloo ohzhi*
When will it be ready?	**Quando estará pronto?** *kwundoo istahDah prohntoo*
How much will it cost?	**Quanto custará?** *kwuntoo koostahDah*
That's outrageous!	**É muito caro!** *eh mweentoo kahDoo*
Can I have a receipt for the insurance?	**Pode me dar uma nota fiscal [factura] para o seguro?** *pawji mi dahr oomah nawtah feeskow [fahtooDuh] pahDah oo saygooDoo*

O/A... não funciona.	The... isn't working.
Não tenho as peças necessárias.	I don't have the necessary parts.
Tenho de encomendar as peças.	I will have to order the parts.
Só posso consertá-lo provisorariamente.	I can only repair it temporarily.
Seu carro não tem conserto.	Your car is beyond repair.
Não tem conserto.	It can't be repaired.
Vai estar pronto...	It will be ready...
hoje à tarde	this afternoon
amanhã	tomorrow
em... dias	in... days

DAYS OF THE WEEK ➤ 218; NUMBERS ➤ 216

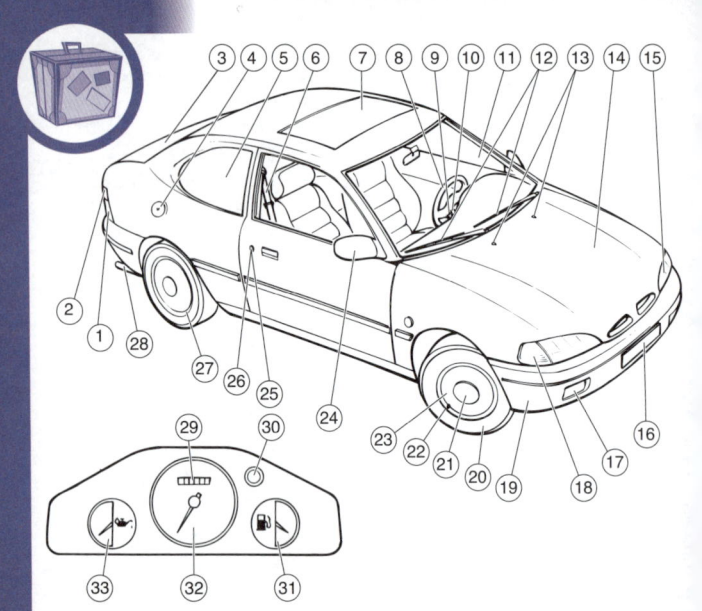

1. tail lights [back lights] **faróis** mpl **traseiros**
2. brake lights **luz [farolins]** f **de freio [travagem]**
3. trunk [boot] **porta-malas [-bagagens]** m
4. gas tank door [petrol cap] **tampa** f **do tanque [depósito] de gasolina**
5. window **janela** f
6. seat belt **cinto** m **de segurança**
7. sunroof **teto m de abrir [teto solar]**
8. steering wheel **volante** m
9. ignition **contato** m **[ignição]**
10. ignition key **chave** f **de ignição**
11. windshield [windscreen] **pára-brisa** m
12. windshield [windscreen] wipers **limpadores** mpl **de pára-brisa**
13. windshield [windscreen] washer **lavadores [líquido]** mpl **do pára-brisa**
14. hood [bonnet] **capô [capota]** f
15. headlights **faróis** mpl
16. license [number] plate **placa [matrícula]** f
17. fog lamp **farol** m **de milha [nevoeiro]**
18. turn signals [indicators] **pisca-pisca** mpl
19. bumper **pára-choque** m
20. tires [tyres] **pneus** mpl
21. wheel cover [hubcap] **calota** f **[tampão de roda]**
22. valve **válvula** f **do pneu**
23. wheels **rodas** fpl
24. outside [wing] mirror **espelho** m **retrovisor**
25. automatic locks [central locking] **fechadura [fecho]** f
26. lock **fechadura [fecho]** f
27. wheel rim **aro** m **da roda**
28. exhaust pipe **cano [tubo]** m **de escapamento [escape]**
29. odometer [milometer] **hodômetro [conta-quilômetros]** m

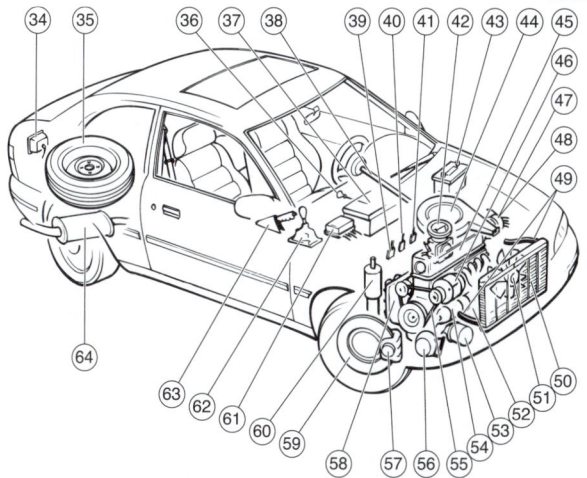

30 warning light **luz** f **de advertência [emergência]**
31 fuel gauge **indicador** m **do nível de combustível**
32 speedometer **velocímetro** m
33 oil gauge **indicador de pressão do óleo** m
34 backup [reversing] lights [**marcha-atrás**] **uz** [**farolins**] f **de ré**
35 spare tire [wheel] **estepe** m
36 choke **afogador** [**ar**] m
37 heater **controle** m **do aquecimento** [**chauffage**] m
38 steering column **barra** [**eixo**] m **de direção**
39 accelerator **acelerador** m
40 pedal **pedal do freio** m
41 clutch **embreagem** [**embraiagem**] f
42 carburetor **carburador** m
43 battery **bateria** f
44 alternator **alternador** m
45 camshaft **eixo do motor**
46 air filter **filtro de ar**
47 distributor **distribuidor** m
48 points **contatos** mpl
49 radiator hose (top/bottom) **mangueira** f **do radiador**
50 radiator **radiador** m
51 fan **ventoinha** f
52 engine **motor** m
53 oil filter **filtro** m **do óleo**
54 starter motor **motor** m **de arranque**
55 fan belt **correia** f **da ventoinha**
56 horn **buzina** f
57 brake pads **pastilhas** [**calço**] fpl **do freio** [**do travão**]
58 transmission [gearbox] **caixa** f **de câmbio** [**das velocidades**]
59 brakes **discos** mpl **de freio** [**travões**]
60 shock absorbers **amortecedor** m
61 fuses **caixa** f **de fusíveis** mpl
62 gear shift [lever] **alavanca** f **de câmbio** [**das velocidades**]
63 handbrake **freio** [**travão**] m **de mão**
64 muffler [silencer] **silenciador** m

REPAIRS ➤ *89*

Accidents Acidentes

In the event of an accident:
1. put your red warning triangle 100 meters behind your car;
2. report the accident to the police (in Brazil, the road police – **polícia rodoviária**); don't leave before they arrive;
3. show your driver's license and green card;
4. give your name, address, insurance company to the other party;
5. contact your insurance company;
6. don't make any written statement without advice of a lawyer or automobile club official;
7. note all relevant details of the other party, any independent witnesses, and the accident.

There has been an accident.	**Houve um acidente.** _oh_vi oong ah-si_dayn_chi
It's…	**Foi…** _fohy_
on the highway [motorway]	**na rodovia** nah hohdoh_vee_ah
near…	**perto de…** _pair_too ji
Where's the nearest telephone?	**Onde fica o telefone mais próximo?** onji _fee_kah oo taylay_foh_ni mighs _pross_imoo
Call…	**Chame…** _shum_mi
an ambulance	**o resgate [a ambulância]** oo hayz_gah_chi [umboo_luns_yuh]
a doctor	**um médico** oong _meh_jikoo
the fire department [brigade]	**os bombeiros** oos bohm_bay_Doos
the police	**a polícia** ah poh_lee_ssyah
Can you help me?	**Pode me ajudar?** _paw_ji mi ahzhoo_dahr_

Injuries Ferimentos

There are people injured.	**Há pessoas feridas.** ah payss_soh_-us fay_Dee_dus
No one is hurt.	**Não há feridos.** nung-w ah fay_Dee_doos
He is bleeding heavily.	**Ele está sangrando gravemente.** _ay_li istah sung_run_doo _grah_vi-_mayn_chi
She's unconscious.	**Ela perdeu os sentidos.** _el_lah payr_dayw_ oos sayn_chee_doos
He can't breathe/move.	**Ele não respira/se mexe.** _ay_li nung-w hayspee_Dah_/si _meh_shi
Don't move him.	**Não o removam.** nung-w oo hay_moh_vung-w

ACCIDENT & INJURY ➤ 162; DIRECTIONS ➤ 94

Legal matters Assuntos legais

What's your insurance company?	**Qual é a sua companhia de seguros?** *kwow eh ah sooah kohpunneeaa ji saygooDoos*
What's your name and address?	**Qual é o seu nome e endereço [morada]?** *kwow eh oo sayw nohmi ee indayDayssoo [mooDahdah]*
He ran into me.	**O carro dele bateu no meu.** *oo kah-hoo dayli bahtayw noo mayw*
She was driving too fast/too close.	**Ela estava em alta velocidade.** *ellah istahvah ing owtah vaylohsidahji*
I had the right of way.	**A preferencial era minha.** *uh pruhfuhDuhsyahl ai meenyuh*
I was only driving… kmph.	**Eu estava a apenas… km por hora.** *ayw istahvah ah ahpaynuz… keelohmaytroos poor awDah*
I'd like an interpreter.	**Preciso de um tradutor.** *prayseezoo ji oong trahdootohr*
I didn't see the sign.	**Não vi o farol.** *nung-w vee oo fuhDawl*
He/She saw it happen.	**Ele/Ela viu o que aconteceu.** *ayli/ellah veew oo ki ahkohntay-sayw*
The license plate [registration] number was…	**Eu anotei a placa [matrícula].** *ayw ahnohtay ah plahkah [muhtreekooluh]*

Mostre-me …, por favor.	Can I see…, please?
a sua carteira de habilitação [carta de condução]	your driver's license
o seu cartão de seguro	your insurance card
os documentos do carro	your vehicle registration
A que horas aconteceu?	What time did it happen?
Onde aconteceu?	Where did it happen?
Alguém mais está envolvido?	Was anyone else involved?
Há testemunhas?	Are there any witnesses?
Estava em alta velocidade.	You were speeding.
As luzes de seu veículo não estão funcionando.	Your lights aren't working.
Terá de pagar uma multa.	You'll have to pay a fine (on the spot).
É preciso que compareça à delegacia [esquadra].	You have to make a statement at the station.

TIME ➤ 220

Asking directions
Como perguntar o caminho

Excuse me.	**Com licença.** *koong lee-saynsuh*
How do I get to…?	**Como faço para ir…?** *kohmoo fahssoo pahDah eer*
Where is…?	**Onde fica…?** *onji feekah*
Can you show me on the map where I am?	**Pode me indicar no mapa onde estou?** *pawji mi injikahr noo mahpah onji istoh*
I've lost my way.	**Estou perdido(-a).** *istoh payrjeedoo(-ah)*
Can you repeat that, please?	**Importa-se de repetir?** *impawrtah-si ji haypaycheer*
More slowly, please.	**Mais devagar, por favor.** *mighs jivahgahr poor fahvohr*
Thanks for your help.	**Obrigado(-a) pela ajuda.** *ohbrigahdoo(-ah) paylah ahzhoodah*

Traveling by car De carro

Is this the right road for…?	**Esta é a estrada para…?** *ehstah eh ah istrahdah pahDah*
How far is it to… from here?	**A que distância fica… daqui?** *ah ki jeestunsyah feeker… dahkee*
Where does this road lead?	**Para onde vai esta estrada?** *pahDah onji vigh ehstah istrahdah*
How do I get onto the highway [motorway]?	**Como chego à rodovia [auto-estrada]…?** *kohmoo shaygoo ah hohdohveeah [owtoo-uhshtrahduh]*
What's the next town called?	**Como se chama a cidade mais próxima?** *kohmoo si shummah ah sidahji mighs prossimah*
How long does it take by car?	**Quanto tempo leva de carro?** *kwuntoo taympoo lehver ji kah-hoo*

– Com licença. Como chego à estação ferroviária [para comboios]?
(Excuse me, please. How do I get to the train station?)
– *Vire na terceira à esquerda e depois siga sempre em frente.*
(Take the third left and it's straight ahead.)
– Terceira à esquerda. É longe?
(The third left. Is it far?)
– *Dez minutos a pé.* (It's ten minutes on foot.)
– Obrigado pela ajuda. (Thanks for your help.)
– *De nada.* (You're welcome.)

Location No local

É...	It's...
sempre em frente	straight ahead
à esquerda	on the left
à direita	on the right
no outro lado da rua	on the other side of the street
na esquina	on the corner
após dobrar a esquina	around the corner
na direção do(-a)...	in the direction of...
em frente ao(à).../por trás do(-a)	opposite.../behind...
próximo ao(à).../ depois do(-a)	next to.../after...
Desça...	Go down the...
a transversal/rua principal	side street/main street
Atravesse...	Cross the...
a praça/ponte	square/bridge
Vire na...	Take the...
terceira à direita	third turn to the right
Vire à esquerda...	Turn left...
depois dos semáforos	after the first traffic light
no segundo cruzamento	at the second intersection [crossroad]

By car De carro

Fica ao/a... daqui.	It's... of here.
norte/sul	north/south
leste/oeste	east/west
Pegue a estrada para...	Take the road for...
Não é esta estrada.	You're on the wrong road.
Tem de retornar para...	You'll have to go back to...
Siga as placas para...	Follow the signs for...

How far? A que distância?

Fica...	It's...
perto/relativamente perto/ muito longe	close/not far/a long way
a 5 minutos a pé	5 minutes on foot
a 10 minutos de carro	10 minutes by car
cerca de 10 km daqui	about 10 kilometers away

TIME ➤ 220; NUMBERS ➤ 216

Road signs Sinais de trânsito

ACESSO ÚNICO	access only
REDUZA A VELOCIDADE	slow down
DESVIO	detour [diversion]
DEVAGAR	slow
OBRAS	highway construction
PEDÁGIO [PORTAGEM]	toll
SEM SAÍDA	no through road
SIGA PELA DIREITA	keep right
EM OBRAS [TRABALHOS]	highway construction
TRÂNSITO INTERDITADO	road closed

Town plan Mapa da cidade

aeroporto	airport
cinema	movie theater [cinema]
correios	post office
edifício público	public building
delegacia [esquadra] de polícia	police station
estação	station
estação de metrô	subway [metro] station
estacionamento	parking lot [car park]
estádio	stadium
igreja	church
informações	information office
parada de ônibus [paragem de autocarro]	bus stop
parque	park
passagem de pedestres [peões]	pedestrian crossing
passagem subterrânea	underpass [subway]
ginásio de esportes [pavilhão desportivo]	playing field [sports stadium]
ponto [praça] de táxi	taxi stand [rank]
corredor de ônibus [rota dos autocarros]	bus route
rua principal	main [high] street
teatro	theater
zona urbana [de peões]	pedestrian zone [precinct]

Sightseeing

Tourist information office	97	Tourist glossary	102
Excursions	98	Who?/What?/When?	104
Sights	99	Places of worship	105
Admission	100	In the countryside	106
Impressions	101	Geographical features	107

Tourist information office
Informações turísticas [Posto de turismo]

In Brazil and Portugal, town maps and brochures of the main tourist attractions are available at the airport and in tourist information centers.

Where's the tourist office?	**Onde fica o posto de informações turísticas?** _onji feekah oo pohstoo ji infohrmah-soyngs tooDeeschikus_
What are the main points of interest?	**O que há de mais interessante para ver?** _oo ki ah ji mighz intayDayssunchi pahDah vayr_
We're here for…	**Ficaremos aqui…** _feekahDaymmooz ahkee_
only a few hours	**só algumas horas** _saw owgoomuz awDus_
a day	**um dia** _oong jeeah_
a week	**uma semana** _oomah saymunnah_
Can you recommend…?	**Pode me recomendar…?** _pawji mi haykohmayndahr_
a sightseeing tour	**um passeio turístico** _oong pahssayoo tooDeeschikoo_
an excursion	**uma excursão** _oomah ayskoorsung-w_
a boat trip/cruise	**uma excursão de barco/um cruzeiro** _oomah ayskoorsung-w ji bahrkoo/oong kroozayDoo_
Are these brochures free?	**Estes folhetos são grátis?** _ayschis folyaytoos sung-w grahchis_
Do you have any information on…?	**Tem alguma informação sobre…?** _tayng owgoomah infohrmah-sung-w sohbri_
Are there any trips to…?	**Há alguma excursão para…?** _ah owgoomah ayskoorsung-w pahDah_

DAYS OF THE WEEK ➤ 218; DIRECTIONS ➤ 94

97

Excursions Excursões

How much does the tour cost?	**Quanto custa a excursão?** kwuntoo koostah ah ayskoorsung-w
Is lunch included?	**A refeição está incluída?** ah hayfaysung-w istah inkloo-eedah
Where do we leave from?	**De onde sai?** ji onji sigh
What time does the tour start?	**A que horas parte?** ah ki awDus pahrchi
What time do we get back?	**A que horas é a volta?** ah ki awDus eh ah vaw-wtah
Do we have free time in…?	**Temos algum tempo livre em…?** taymooz owgoong taympo leevri ing
Is there an English-speaking guide?	**Há algum guia que fale inglês?** ah owgoong gheeah ki fahli inglays

On the tour De excursão

Are we going to see…?	**Vamos ver…?** vummooz vayr
We'd like to have a look at the…	**Gostaríamos de ver…** gohstahDeeummooz ji vayr
Can we stop here…?	**Podemos parar aqui…?** pohdaymoos pahDahr ahkee
to take photographs	**para tirar foto** pahDah cheeDahr fohtoh
to buy souvenirs	**para comprar lembranças** pahDah kohmprahr laymbrunsus
to use the restrooms [toilets]	**para ir ao banheiro [à casa de banho]** pahDah eer ow bunnyayDoo [ah kahzah ji bunyoo]
Would you take a photo of us?	**Poderia tirar uma foto nossa?** pohdayDeeah cheeDahr oomah fohtoh ji naws
How long do we have here/in…?	**Quanto tempo vamos ficar aqui/em…?** kwuntoo taympoo vummoos feekahr ahkee/ing…
Wait!… isn't back yet.	**Espere!… ainda não voltou.** ispehDi… ah-eendah nung-w vohtoh

Sights Locais de interesse

Guia Quatro Rodas (available from newsstands and bookstores) is the most complete and up-to-date Brazilian guide, providing city maps, road networks, accommodations listings and main sights – with information on means of access, opening times, and telephone numbers.

Where is the…	**Onde fica…?** _onji feekah_
art gallery	**a galeria de arte** ah gahlayDeeah ji ahrchi
botanical garden	**o jardim botânico** oo zhahrjeeng bohtunnikoo
castle	**o castelo** oo kustelloo
cathedral	**a catedral** ah kahtaydrow
cemetery	**o cemitério** oo saymeetehDyoo
church	**a igreja** ah igrayzhah
downtown area	**o centro da cidade** oo sayntroo dah sidahji
harbor	**o porto** oo pohrtoo
library	**a biblioteca** ah beebliohtekkah
market	**o mercado** oo mayrkahdoo
monastery	**o mosteiro** oo mohstayDoo
museum	**o museu** oo moozeoo
old town	**a parte velha da cidade** ah pahrchi vellyah dah sidahji
opera house	**a casa de espetáculos** ah kahzah ji ispaytahkooloos
palace	**o palácio** oo pahlahssyoo
park	**o parque** oo pahrki
president building	**o congresso** oo kongrehssoo
	o senado oo saynahdoo
ruins	**as ruínas** uz hooeenus
shopping area	**a zona comercial** ah zohnah kohmayrsyow
theater	**o teatro** oo tayahtroo
tower	**a torre** ah toh-hi
town hall	**a prefeitura** ah prayfaytooDah
university	**a universidade** ah ooneevayrsidahji
zoo	**o zoológico** oo zohlawzhikoo

DIRECTIONS ➤ 94

Admission Entrada

In Brazil, museums usually are open from 9 a.m. to 6 p.m. every day. In Portugal, museums are open from 10 a.m. to 6 p.m, and usually closed on Mondays. The tourist guide should be tipped R$5–10 in Brazil, 10–15% in Portugal.

Is the… open to the public?	**… está aberto(-a) ao público?** istah ah<u>beh</u>rtoo(-ah) ow <u>poo</u>blikoo
Can we look around?	**Podemos dar uma olhada [vista de olhos]?** poh<u>day</u>mooz dar <u>oo</u>mah oh<u>lyah</u>dah [<u>veesh</u>tuh dy <u>awl</u>yoosh]
What does it open/close?	**A que horas abre/fecha?** ah ki <u>aw</u>Dus <u>ah</u>bri/<u>feh</u>shah
What are the hours in weekend?	**Qual o horário de funcionamento no fim de semana** kwow oo oh<u>Dah</u>Dyoo ji foonsyohnah<u>mayn</u>too noo feeng ji say<u>mun</u>nah
When's the next guided tour?	**Quando é a próxima visita monitorada [guiada]?** <u>kwun</u>doo eh ah <u>pros</u>simah vi<u>zee</u>tah mohnitoh<u>Dah</u>dah [<u>gyah</u>duh]
Do you have a guide who speak English?	**Tem um guia que fale inglês?** tayng oong <u>ghee</u>ah ki <u>fah</u>li in<u>glays</u>
Can I take photos?	**Posso tirar fotos?** <u>pos</u>soo chee<u>Dahr</u> fohtohs
Is there access for the disabled?	**Há algum acesso para deficientes?** ah ow<u>goong</u> ah-<u>ses</u>soo pah<u>Dah</u> dayfeess<u>yayn</u>chis
Is there an audioguide in English?	**Há um áudio da visita monitorada [guiada] em inglês?** ah <u>oo</u>mah ow<u>dioo</u> dah vi<u>zee</u>tah mohnitoh<u>Dah</u>dah [<u>gyah</u>duh] ing in<u>glays</u>

Tickets Ingressos [Bilhetes de entrada]

How much is the entrance fee?	**Quanto custa a entrada?** <u>kwun</u>too <u>koos</u>tah ah ayn<u>trah</u>dah
Are there discounts for…?	**Há desconto para…?** ah jis<u>kohn</u>too pah<u>Dah</u>
children	**crianças** kri-<u>un</u>sus
students/groups	**estudantes/grupos** istoo<u>dun</u>chis/<u>groo</u>poos
senior citizens	**aposentados/idosos [reformados]** ahpohzayn<u>tah</u>doos/ee<u>daw</u>zoos [huhfoor<u>mah</u>doosh]
the disabled	**deficientes** dayfeess<u>yayn</u>chis
One adult and two children, please.	**um adulto e duas crianças, por favor.** ooong ah<u>doo</u>too ee <u>doo</u>-us kri-<u>un</u>sus poor fah<u>vohr</u>
I've lost my ticket.	**Perdi meu ingresso [bilhete].** payr<u>jee</u> mayw in<u>grais</u>soo [bil<u>yay</u>chi]

– Cinco ingressos, por favor. Há desconto?
(Five tickets, please. Are there any discounts?)
– Há. Crianças e aposentados pagam cinco reais.
(Yes, children and senior citizens pay 5 reais.)
– Então, dois adultos e três crianças.
(Two adults and three children.)
– São trinta e cinco reais.
(That's trinta e cinco.)

ABERTO	open
ENTRADA LIVRE	free admission
É PROIBIDA A ENTRADA.	no entry
É PROIBIDO O USO DE FLASH	no flash photography
É PROIBIDO TIRAR FOTOS	no photography
FECHADO	closed
HORÁRIO DE VISITA	hours [visiting hours]
PRÓXIMA VISITA MONITORADA [GUIADA] ÀS...	next tour at…
LOJA DE RECORDAÇÕES	gift shop

Impressions Impressões

It's…	**É…** *eh*
amazing	**incrível** *inkreevayw*
beautiful	**lindo** *leendoo*
bizarre/strange	**estranho** *istrunnyoo*
boring	**chato** *shahtoo*
breathtaking	**espantoso** *ispuntohzoo*
brilliant	**brilhante** *brilyunchi*
great fun	**divertido** *jeevayrcheedoo*
interesting	**interessante** *intayDayssunchi*
magnificent	**magnífico** *mahghineefikoo*
pretty	**bonito** *booneetoo*
romantic	**romântico** *hohmunchikoo*
stunning	**maravilhoso** *mahDahvilyohzoo*
superb	**genial** *zhayniow*
ugly	**feio** *fayoo*
It's a good value/It's a rip-off.	**Vale a pena./É um roubo.** *vahli ah paynah/eh oong hohboo*
I like it.	**Gosto disso.** *gawstoo jeesoo*
I don't like it.	**Não gosto disso.** *nung-w gawstoo jeesoo*

Tourist glossary
Pontos de referência

abóbada vault
adro da igreja churchyard
água-forte etching
ala wing *(building)*
ameia battlement
antigo ancient
aquarela [aguarela] watercolor
arco arch
arma weapon
arte de gravar carving/engraving
artesanato crafts
azulejos decorated tiles
banheiros baths
biblioteca library
cerâmica [faiança] pottery
claustro cloister
coleção collection
construído em... built in...
coro (cadeira) choir *(stall)*
coroa crown
cúpula dome
decorado por... decorated by...
descoberto em... discovered in...
desenho drawing
destruído por... destroyed by...
detalhe detail

doação de... donated by...
dourado gilded, gold(en)
edifício building
emprestado a... on loan to...
entalhe engraving
entrada doorway
erigido em... erected in...
esboço sketch
escadaria staircase
escola de... school of...
escultor sculptor
escultura sculpture
exposição display/exhibition
fachada façade
fosso moat
friso frieze
fundado em... founded in...
gravura carving/engraving
gravura a água-forte etching
gárgula gargoyle
iniciado(-a) em started in
jardim geométrico formal garden
joalheria jewelry
lápide headstone
mobiliário furniture
moeda coin
morreu em... died in...

muro wall
mármore marble
nascido(-a) em... born in...
no estilo de... in the style of...
nível 1 level 1
objeto exposto exhibit
obra de cera waxwork
obra-prima masterpiece
olaria pottery
ourivesaria jewelry
ouro gold
painéis panels
paisagem landscape
palco stage
palestra lecture
parede wall
pedra stone
pedra preciosa gemstone
pedra tumular headstone
pia batismal font
pilar buttress
pintado por... painted by...
pintor(a) painter
pintura painting
pintura a fresco fresco
pintura paisagista landscape (painting)
por... by... (person)
portão/porta gate
prata silverware

pátio courtyard
quadro picture/tableau
rainha queen
real royal
reedificado rebuilt
rei king
reinado reign
relógio clock
requerido por... commissioned by...
restaurado em... restored in...
retábulo altar piece
retrato portrait
rococó rococo
sala de armas armory
salão de recepções stateroom
século century
talha dourada gilded wooden carving
tapeçaria tapestry
tela canvas
terminado em... completed in...
tintas a óleo oils
torre tower
traje costume
túmulo grave/tomb
varanda balcony
vitral stained glass window
viveu lived

Who?/What?/When?
Quem?/Que?/Quando?

What's that building?	**Que edifício é aquele?** *ki ayji<u>fees</u>syoo eh ah<u>kay</u>li*
Who was the…?	**Quem foi…?** *kayng fohy*
architect/artist	**o arquiteto/o artista** *oo ahrki<u>tet</u>too/oo ahr<u>chees</u>tah*
When was it built/painted?	**Quando foi construído/pintado?** *<u>kwun</u>doo fohy kohnstroo<u>ee</u>doo/peen<u>tah</u>doo*
What style is that?	**Que estilo é aquele?** *ki is<u>chee</u>loo eh ah<u>kay</u>li*

românico (c. 11–12)
The romanesque style was characterized by simple lines and round arches; esp. cathedrals in Coimbra and Lisbon, Domus Municipalis in Bragança.

gótico (c. 12–final 15)
Very complex architectural forms, using pointed arches, rib vaults, and flying buttresses; esp. monastery at Alcobaça, Templo de Elvas, Mosteiro de Santa Maria Vitória in Batalha.

renascença (c. 15–16)
Derived from the Italian and French Renaissance and characterized by imitating the stability and poise of ancient Roman; esp. churches of Conceição in Tomar, Nossa Senhora de Fora in Lisbon.

barroco/rococó (c. 17–18)
Large-scale and elaborately decorated architectural style giving an impression of grandeur; esp. (Brazil) cities of Ouro Preto, Vila Rica, Tiradentes, and São João del Rey. (Portugal) Solar de Mateus near Vila Real, convent in Mafra, Bom Jesus staircase near Braga.

neoclássico (meados do 18–meados do 19)
The Classical movement brought about a return to classical values such as simplicity and methodical; order. esp. Queluz Palace; central Lisbon as rebuilt by Marquês de Pombal with wide, tree-lined avenues and squares.

romântico (fins do 18–fins do 19)
Romanticism was marked by idealism, exoticism, fantasy, and an emphasis on content and feeling, rather than on order and form; esp. Palácio da Pena in Sintra, and the Palácio Hotel in Buçaco.

art nouveau (1880–1910)
Artistic style orientated towards simplified forms, ranging from the emulation of nature to abstract forms; esp. Lisbon, Coimbra, Leiria.

moderno (c. 20)
Modern architectural style is most prominent in São Paulo and Brasília (e.g. Congresso Nacional buildings), the Brazilian capital designed by Oscar Niemeyer.

History História

House of Burgundy 1139–1385
After centuries of occupation by the Romans, Visogoths, Moors, and the Spanish, Afonso Henriques proclaimed himself king; Moors are driven from Algarve (1249). The popular revolt (**Revolução de 1385**) ended the Burgundian dynasty when the country's independence was threatened.

Avis dynasty/Spanish rule 1386–1640
Period of great discoveries (**Descobrimentos**), led by Don Henrique (Henry the Navigator); Bartolomeu Dias, Vasco da Gama, Fernão de Magalhães (Magellan). Portugal established trade with India. Brazil was discovered by Pedro Álvares Cabral (1500). But Portugal was overextending itself and the Spanish invaded and occupied – **domínio espanhol** (1580-1640).

Bragança dynasty/Republic 1640–
João IV regained Portugal's independence. An earthquake destroyed Lisbon (1755); British alliance led to defeat of Napoleonic army in the Iberian Peninsula. The decline of the monarch saw independence for Brazil (1822) and a civil war (1828-34). A republic was declared in 1910, leading to the dictatorship under Salazar (1932-70). 1974 brought independence for Portugal's African colonies.

Brasil Colônia 16– início do 19
There were about 7 million native Indians when the Portuguese colonists (Pedro Álvares Cabral found Brazil in 1500) arrived. The country developed by growing sugar cane and the sale of Indian slaves, hunted by **bandeirantes**.

Império 1822–1889
The Brazilian Empire began when Dom Pedro I declared independence; it was followed by civil war, until Dom Pedro II gained control.

República 1889–
A military coup brought a series of Brazilian presidents, supervised by the army. In late 1950s Brasília was built; from early 1960s the economy was hit by chronic inflation. The economy was stabilized in 1994; but Brazil remains a volatile country (of 155 million people) with many social problems.

Places of worship Culto

Although large churches are normally open to the public during the day, services should be respected and permission asked before taking photographs.

Catholic/Protestant church	**a igreja católica/protestante** *ah igrayzhah kahtollikah/prohtaystunchi*
mosque	**a mesquita** *ah mayskeetah*
synagogue	**a sinagoga** *ah seenahgawgah*
What time is…?	**A que horas é…?** *ah ki awDus*
mass/the service	**a missa/o culto** *ah meessah/oo kootoo*

In the countryside No campo

I'd like a map of…	**Queria um mapa…** _kiDeeah oong mahpah_
this region	**desta região** _dehstah hayzheeung-w_
walking routes	**de roteiros [itinerários] para fazer a pé** _jee hohtayDoos [itinuhDahDyoos] pahDah fahzayr ah peh_
cycle routes	**de roteiros [itinerários] para fazer de bicicleta** _jee hohtayDoos [itinuhDahDyoos] pahDah fahzayr ji beesiklettah_
How far is it to…?	**A que distância fica…?** _ah ki jeestunsyah feekah_
Is there a right of way?	**É permitida a passagem?** _eh payrmicheedah ah pahssahzhayng_
Is there a trail/scenic route to…?	**Há algum caminho/roteiro [itinerário] turístico para…?** _ah owgoong kahmeenyoo/hohtayDoo [itinuhDahDyoo] tooDeeschikoo pahDah_
Can you show me on the map?	**Pode me indicar no mapa?** _pawji mi injikahr noo mahpah_
I'm lost.	**Estou perdido(-a).** _istoh payrjeedoo(-ah)_

Organized walks Passeios a pé organizados

When does the guided walk start?	**Quando será o passeio a pé com guia?** _kwundoo sayDah oo pahssayoo ah peh koong gheeah_
When will we return?	**Quando é a volta?** _kwundoo eh ah vaw-wtah_
What is the walk like?	**Que tipo de passeio é?** _ki cheepoo ji pahssayoo eh_
gentle/medium/tough _(hard)_	**suave/médio/árduo** _sooahvi/mehjoo/ahrdwoo_
I'm exhausted.	**Estou exausto(-a).** _istoh izowstoo(-ah)_
What kind of animal/bird is that?	**Que espécie de animal/pássaro é aquele?** _ki ispehsyi ji unnimow/pahsahDoo eh ahkayli_
What kind of flower/tree is that?	**Que espécie de flor/árvore é aquela?** _ki ispehsyi ji flohr/ahrvohDi eh ahkellah_

WALKING GEAR ➤ 145

Geographical features
Pontos de referência geográficos

bridge	**a ponte**	ah _pohn_chi
cave	**a caverna**	ah kah_vair_nah
cliff	**a falésia**	ah fah_lezz_yah
farm	**fazenda [quinta]**	ah fah_zayn_dah [_keen_tuh]
field	**o campo**	oo _kum_poo
footpath	**o caminho para pedestres [peões]**	oo kah_mee_nyoo pah_Dah_ pay_dehs_tris [pyoyngsh]
forest	**a floresta**	ah floh_Deh_stah
hill	**a colina**	ah koh_lee_nah
lake	**o lago**	oo _lah_goo
mountain	**a montanha**	ah mohn_tunn_yah
mountain pass	**o desfiladeiro**	oo daysfeelah_day_Doo
mountain range	**a cordilheira**	ah kohrjee_lyay_Dah
nature reserve	**a reserva natural**	ah hay_zair_vah nahtoo_Dow_
park	**o parque**	oo _pahr_ki
peak	**o pico**	oo _pee_koo
picnic area	**a área para piqueniques**	ah _ahr_yah pah_Dah_ peekin_ee_kis
pond	**a lagoa**	ah lah_goh_-ah
rapids	**as corredeiras [os rápidos]**	us koh-hay_day_Dus [oos _hah_pidoosh]
ravine	**a ravina**	ah hah_vee_nah
river	**o rio**	oo _hee_oo
sea	**o mar**	oo mahr
stream	**o riacho [ribeiro]**	oo hee_ah_shoo [hi_bay_Doo]
valley	**o vale**	oo _vah_li
viewing point	**o mirante [miradouro]**	oo mee_Dun_chi [meeDuh_doh_Doo]
village	**o vilarejo [a aldeia]**	oo veela_Day_zhoo [uh ahl_day_uh]
vineyard	**o vinhedo [a vinha]**	oo vee_nyay_doo [uh _veeny_uh]
waterfall	**a cachoeira [cascata]/catarata**	ah kahshoo-_ay_Dah [kush_kah_tuh]/kahtoh_Dah_tah
wood	**a mata**	ah _mah_tah

Leisure

Events	108	Nightlife	112
Tickets	108	Admission	112
Movies [Cinema]	110	Children	113
Theater	110	Sports	114
Opera/Ballet/Dance	111	At the beach	116
Music/Concerts	111	Carnivals	117

Events Espetáculos

Local papers and weekly entertainment guides – such as **Veja** in Brazil and **Sete** in Brazil – will tell you what's on. Regional booklets (**Vejinha**) are also useful in Brazil.

Do you have a program of events?
Tem um guia [programa] dos espetáculos?
tayng oong gheeah [proogrummuh] dooz ispaytahkooloos

Can you recommend a(n)…?
Pode me recomendar um(a)…?
pawji mi haykohmayndahr oong (oomah)

Is there a(n)… somewhere?
Há… em algum lugar?
ah… ing owgoong loogahr

ballet/concert
um balé [bailado]/concerto
oong bahleh [bighlahdoo]/kohnsayrtoo

movie [film]
um filme *oong feewmi*

opera
uma ópera *oomah awpayDah*

Tickets Ingressos [Bilhetes]

Tickets for concerts, theater, and other cultural events in Brazil are available through agencies; they provide credit card reservations and ticket delivery.

When does it start/end?
Que horas começa/termina?
ki awDus kohmehsah/tayrmeenah

Where can I get tickets?
Onde posso comprar ingresso [bilhete]?
onji possoo kohmprahr ingrehssoo [bilyaychi]

Are there any seats for tonight?
Ainda há lugares para hoje à noite?
ah-eendah ah loogahDis pahDah oazhi ah nohychi

I'm sorry, we're sold out.
Lamento, mas a lotação está esgotada.
lahmayntoo muz ah lohtah-sung-w istah isgohtahdah

How much are the tickets?	**Quanto custa o ingresso [bilhete]?** _kwuntoo koostah oo in<u>greh</u>ssoo [bil<u>yay</u>chi]_
Do you have anything cheaper?	**Há mais barato?** _ah mighs bah<u>Dah</u>too_
I'd like to reserve…	**Queria reservar…** _ki<u>Dee</u>ah hayzayr<u>vahr</u>_
3 for Sunday evening	**três lugares para domingo à noite** _trayz loo<u>gah</u>Dis <u>pah</u>Dah doomeengoo ah <u>noh</u>ychi_
1 for Friday's matinée	**um lugar para a matinê de sexta-feira** _oong loo<u>gahr</u> <u>pah</u>Dah muhtinay ji <u>say</u>stah <u>fay</u>Dah_

Qual é… do seu cartão de crédito?	What's your credit card…?
o número	number
a administradora	type
a validade	expiration [expiry] date
Pode pegar [levantar] os ingressos	Please pick up the tickets…
até as…	by… p.m.
na bilheteira	at the reservation desk

May I have a program?	**Pode me dar um programa?** _paw<u>ji</u> mi dahr oong proh<u>grum</u>mah_
Where's the coatcheck [cloakroom]?	**Onde fica a chapelaria [o vestuário]?** _<u>on</u>ji <u>fee</u>kah ah shahpaylah<u>Dee</u>ah [oo vushtoo<u>ahD</u>yoo]_

– Teatro Municipal. Boa tarde. (Hello, Municipal Theater.)
– Boa tarde. Queria dois ingressos para a peça Hamlet de hoje à noite.
(Hello. I'd like two tickets for tonight's "Hamlet".)
– Pois não. Qual o número do seu cartão de crédito? (Certainly. What's your credit card number, please?)
– É zero cinco zero, três seis cinco, sete oito cinco quatro. (It's 050 365 7854.)
– Qual é a validade? (What's the expiration date?)
– Julho de 2010. (July 2010.)
– Obrigada. Os ingressos estarão disponíveis na bilheteira.
(Thank you. Please pick up your tickets at the reservation desk.)

RESERVAS	advance reservations
ESGOTADO	sold out
INGRESSOS [BILHETES] PARA HOJE	tickets for today

NUMBERS ➤ 216

Movies [Cinema]   Cinema

In Brazil and Portugal, foreign movies (with the exception of those for children) are usually shown in their original language with Portuguese subtitles.

Is there a cinema near here?	**Há algum cinema aqui perto?** *ah ow<u>goong</u> see<u>nay</u>mah ah<u>kee</u> <u>pair</u>too*
What's playing at the movies [on at the cinema] tonight?	**O que vai passar no cinema hoje à noite?** *oo ki vigh pah-<u>sahr</u> noo see<u>nay</u>mah oh<u>zhi</u> ah <u>no</u>hychi*
Is the movie dubbed/subtitled?	**O filme é dublado [dobrado]/legendado?** *oo <u>feew</u>mi eh doo<u>blah</u>doo [doo<u>brah</u>doo]/ layzhayn<u>dah</u>doo*
Is the movie in the original English?	**O filme é na versão original inglesa?** *oo <u>feew</u>mi eh nah vayr<u>sung</u>-w ohDeezhi<u>now</u> in<u>glay</u>zah*
Who's the main actor/actress?	**Quem é o ator/a atriz principal?** *kayng eh oo ah<u>tohr</u>/ah ah<u>trees</u> preensi<u>pow</u>*
A…, please.	**…, por favor.** *poor fah<u>vohr</u>*
box [carton] of popcorn	**um saco [uma embalagem] de pipoca** *oong <u>sah</u>koo [<u>oo</u>muh umbuh<u>lah</u>zhayng] ji pee<u>paw</u>kah*
chocolate ice cream [choc-ice]	**um sorvete [gelado] de chocolate** *oong sohr<u>vay</u>chi [zhuh<u>lah</u>doo] ji shohkoh<u>lah</u>chi*
hot dog	**um cachorro-quente** *oong kah<u>shoh</u>-hoo <u>kayn</u>chi*
soft drink	**um refrigerante [refresco]** *oom hayfrizhay<u>Dun</u>chi [huh<u>fraysh</u>koo]*
small/regular/large	**pequeno(-a)/médio(-a)/grande** *pay<u>kay</u>noo(-ah)/<u>meh</u>joo(-ah)/<u>grun</u>ji*

Theater Teatro

What's playing at the… Theater?	**O que está passando no teatro…?** *oo ki is<u>tah</u> pah<u>sun</u>doo noo tay<u>ah</u>troo*
Who's the playwright?	**Quem é o autor [escritor]?** *kayng eh oo ow<u>tohr</u> [ushkri<u>tohr</u>]*
Do you think I'd enjoy it?	**Acha que vou gostar?** *<u>ah</u>shah ki voh goh<u>stahr</u>*
I don't know much Portuguese.	**Não sei português muito bem.** *nung-w say pohrtoo<u>gays</u> <u>mween</u>too bayng*

Opera/Ballet/Dance   Ópera/Balé/Dança

In Brazil, there are places everywhere to dance and have fun; look for **discotecas**, **danceterias**, and **forrós**. For more information on the famed **Carnaval** ➤ 117.
Portugal offers the usual range of nightclubs and discotheques along the coast; alternatively try a **casa de fados**, an intimate, late-night restaurant where your meal is accompanied by the haunting melodies of the **fado**, the national folk song.

Where's the opera house?	**Onde fica o teatro de ópera?** onji feekah oo tayahtroo ji awpayDah
Who's the composer/soloist?	**Quem é o autor [compositor]/solista?** kayng eh oo owtohr [koompoozitohr]/ sohleestah
Is formal dress required?	**O traje é a rigor?** oo trahzhi eh ah heegohr
Who's dancing?	**Quem dança?** kayng dunsah
I'm interested in contemporary dance.	**Gosto de dança contemporânea.** gostoo ji dunsah kohntaympohDunnyah

Music/Concerts Música/Concertos

Where's the concert hall?	**Onde fica a sala de concertos?** onji feekah ah sahlah ji kohnsayrtoos
Which orchestra/band is playing?	**Qual é a orquestra/o grupo que vai tocar?** kwow eh ah ohrkehstrah/oo groopoo ki vigh tohkahr
What are they playing?	**O que vão tocar?** oo ki vung-w tohkahr
Who is the conductor/soloist?	**Quem é o maestro/solista?** kayng eh oo mah-ehstroo/sohleestah
I like…	**Gosto de…** gostoo ji
country music	**música country** moozikkah "country"
folk music	**música popular** moozikkah pohpoolahr
jazz	**jazz** jehz
music of the sixties	**música dos anos 60** moozikkah dooz unnoos say-sayntah
pop/rock music	**música pop rock** moozikkah pop/hawki
soul music	**música soul** moozikkah soh

Nightlife À noite

What is there to do in the evenings?	**O que há para fazer à noite?** oo ki ah <u>pah</u>Dah fah<u>zayr</u> ah <u>noh</u>ychi
Is there a… in town?	**Há… na cidade?** ah… nah si<u>dah</u>ji
Can you recommend a good…?	**Pode me recomendar um(a) bom/boa…?** <u>paw</u>ji mi haykohmayn<u>dahr</u> oong bohng/ <u>boh</u>-ah
bar	**bar** bahr
casino	**cassino** kah-<u>see</u>noo
discotheque	**uma discoteca** jeeskoh<u>teh</u>kah
gay club	**clube gay** <u>kloo</u>bi gay
nightclub	**boate** boo<u>ah</u>chi
restaurant	**restaurante** haystow<u>Dun</u>chi
Is there a floor show/cabaret?	**Há espetáculo?** ah ispay<u>tah</u>kooloo
What type of music do they play?	**Que tipo de música tocam?** ki <u>chee</u>poo ji <u>moo</u>zikkah <u>taw</u>kung-w
How do I get there?	**Como faço para chegar lá?** <u>koh</u>moo <u>fah</u>soo <u>pah</u>Dah shay<u>gahr</u> lah

Admission Na entrada

What time does the show start?	**Que horas começa o espetáculo?** ki <u>aw</u>Dus koh<u>meh</u>sah oo ispay<u>tah</u>kooloo
Is evening dress required?	**É preciso usar traje a rigor [entrada]?** eh pray<u>see</u>zoo oo<u>zahr</u> <u>trah</u>zhi ah hee<u>gohr</u>
Is there an admission charge?	**É preciso pagar ingresso?** eh pray<u>see</u>zoo pah<u>gahr</u> in<u>greh</u>ssoo
Is a reservation necessary?	**É preciso fazer reserva?** eh pray<u>see</u>zoo fah<u>ze</u> hay<u>zair</u>vah
Do we need to be members?	**Precisamos ser sócios?** praysee<u>zum</u>moos say <u>sos</u>syoos
How long will we have to stand in line [queue]?	**Quanto tempo precisaremos ficar na fila?** <u>kwun</u>too <u>taym</u>poo praysizah<u>ray</u>moos fee<u>kahr</u> nah <u>fee</u>lah
I'd like a good table.	**Queria uma mesa bem localizada.** ki<u>Dee</u>ah <u>oo</u>mah <u>may</u>zah bayng lohkahli<u>zah</u>d

INCLUI UMA BEBIDA	includes 1 complimentary drink

Children Crianças

Can you recommend something suitable for children?	**Pode me recomendar algo apropriado para crianças?** *pawji mi haykohmayndahr owgoo ahprohpriahdoo pahDah kri-unsus*
Are there changing facilities here for babies?	**Há fraldário aqui?** *ah frowdahDyoo ahkee*
Where are the restrooms [toilets]	**Onde é…?** *onji eh* **o banheiro [a casa de banho]** *oo bunnyayDoo [ah kahzah ji bunyoo]*
amusement arcade	**o salão de jogos** *oo sahlung-w ji zhoggoos*
fairground	**a feira/o parque de diversões** *ah fayDah/oo pahrki ji jeevayrsoyngs*
kiddie [paddling] pool	**a piscina infantil [de bebés]** *ah peesseenah ingfuncheew [duh baibaish]*
playground	**o playground [parque de recreio]** *oo "playground" [pahrkuh duh huhkrayoo]*
play group	**o grupo infantil** *oo groopoo ingfuncheew*
puppet show	**o espectáculo de marionetes** *oo ispaytahkooloo ji mahDyohnehchis*
zoo	**o jardim zoológico** *oo zhahrjeeng zohlawzhikoo*

Babysitting Serviços de babá

Can you recommend a reliable babysitter?	**Pode me recomendar uma babá qualificada?** *pawji mi haykohmayndahr oomah bahbah kwahlifeekahdah*
Is there constant supervision?	**Há vigilância constante?** *ah veezheelunsyah kohnstunchi*
Are the helpers properly trained?	**As monitoras são qualificadas?** *us mohnitohDus sung-w kwahlifeekahdus*
When can I bring them?	**Quando as posso deixá-las aí?** *kwundoo possoo dayshah-luz ah-ee*
I'll pick them up at…	**Vou buscá-las às…** *voh booskah-luz ahs*
We'll be back by…	**Voltamos às…** *voltamoosh ash*

Sports Esportes

The Brazilian and Portuguese are avid soccer fans. In Brazil, **Maracanã** is the largest soccer stadium in the world. Portugal is well known for its splendid golf courses. Volleyball is popular in Brazil. In Portugal, Porto and Sporting Lisbon attract huge crowds. Volleyball is popular in Brazil. Portugal is well know for its splendid golf courses.

Spectator Sports De espectador

Is there a soccer [football] game [match] this Saturday?	**Há algum jogo de futebol no sábado?** *ah ow<u>goong</u> <u>zhoh</u>goo ji footay<u>baw-w</u> noo <u>sah</u>bahdoo*
Which teams are playing?	**Quais equipes [equipas] jogarão?** *kwighz ay<u>kee</u>pis [uh<u>kee</u>push] zhohgah<u>Dung</u>-w*
What's the admission charge?	**Quanto é o ingresso [bilhete de entrada]?** *<u>kwun</u>too eh oo in<u>greh</u>ssoo*
athletics	**o atletismo** *oo ahtlay<u>cheez</u>moo*
badminton	**o badminton** *oo behji<u>meen</u>tong*
baseball	**o beisebol** *oo bayzi<u>baw-w</u>*
basketball	**o basquetebol** *oo bahskehchi<u>baw-w</u>*
canoeing	**a canoagem** *ah kahnoh-<u>ah</u>zhayng*
cycling	**o ciclismo** *oo see<u>kleez</u>moo*
field hockey	**o hóquei** *oo <u>aw</u>kay*
fishing	**a pesca** *ah <u>peh</u>skah*
golf	**o golfe** *oo <u>goh</u>fi*
horseracing	**a corrida de cavalos** *ah koh-<u>hee</u>dah ji kah<u>vah</u>loos*
soccer [football]	**o futebol** *oo footay<u>baw-w</u>*
swimming	**a natação** *ah nahtah-<u>sung</u>-w*
tennis	**o tênis** *oo <u>tay</u>nees*
volleyball	**o voleibol** *oo vohlay<u>baw-w</u>*

Participation Sports De participante

Where's the nearest…?	**Onde fica… mais próximo?** _onji feekah… mighs prossimoo_
golf course	**o campo de golfe** _oo kumpoo ji gohfi_
sports club	**o clube esportivo [desportivo]** _oo kloobi ispohrcheevoo [duhshpoorteevoo]_
Where are the tennis courts?	**Onde ficam as quadras [os campos] de tênis?** _onji feekung-w us kwahdrus [oosh kumpoosh] ji taynees_
What's the charge per…?	**Qual é o preço por…?** _kwow eh oo prayssoo poor_
day/round/hour	**dia/jogo/hora** _jeeah/zhohgoo/awDah_
Do I need to be a member?	**Preciso ser sócio?** _prayseezoo sayr sossyoo_
Where can I rent…?	**Onde posso alugar…?** _onji possoo ahloogahr_
boots	**botas** _bawtus_
clubs	**tacos de golfe** _tahkoos ji gohfi_
equipment	**o equipamento** _oo aykeepahmayntoo_
a racket	**uma raquete** _oomah hahkehchi_
Are there courses?	**Há cursos?** _ah koorsoos_
Are there aerobics classes?	**Há aulas de aeróbica?** _ah owlus ji ah-ayDawbikah_
Do you have a fitness room?	**Há sala de ginástica?** _ah sahluh duh zhinahshtikuh_
Can I join in?	**Posso jogar também?** _possoo zhohgahr tumbayng_

Lamento, mas não há vagas.	I'm sorry, we're booked.
É preciso deixar um sinal de…	There is a deposit of…
Que número veste?	What size are you?
É necessária uma fotografia	You need a passport-size photo.

É PROIBIDO PESCAR	no fishing
RESERVADO A SÓCIOS	permit holders only
VESTIÁRIOS	changing rooms

At the beach Na praia

Brazil is associated with beaches; **Copacabana** and **Ipanema** in Rio are known the world over. Surfing is popular all along the Brazilian coast; beach volleyball is a popular pursuit for the less adventurous.

The largest beaches have lifeguards, but look for the following swimming flags: red (swimming forbidden), yellow (swim near the beach), green (safe). Avoid taking expensive cameras and any more money than you need to city beaches in Brazil – theft is fairly common.

In Portugal, the Algarve offers the best area for beaches, but the **Alentejo** (Atlantic Coast) is becoming more popular. The beaches in the north (**Caminha**, **Apúlia**, **Furadouro**) are good for surfing and body boarding.

Is the beach…?	**A praia é…?** ah p<u>righ</u>-ah eh
pebbly/sandy	**com seixos/de areia** koong s<u>ay</u>shoos/ji ah<u>D</u>ayah
Is there a… here?	**Há… aqui perto?** ah… ah<u>kee</u> p<u>air</u>too
children's pool	**uma piscina infantil** <u>oo</u>mah piss<u>ee</u>nah infun<u>chee</u>w
swimming pool	**uma piscina** <u>oo</u>mah piss<u>ee</u>nah
indoor/outdoor	**coberta/ao ar livre** koh<u>bair</u>tah/ow ahr <u>lee</u>vri
Is it safe to swim/dive here?	**Pode-se nadar/mergulhar aqui sem perigo?** <u>paw</u>ji-si nah<u>dahr</u>/mayrgoo<u>lyahr</u> ah<u>kee</u> sayng pay<u>Dee</u>goo
Is it dangerous for children?	**É perigoso para crianças?** eh payDee<u>goh</u>zoo p<u>ah</u>Dah kri-<u>un</u>sus
Is there a lifeguard?	**Há salva-vidas?** ah <u>sow</u>vah <u>vee</u>dus
I want to rent a/some…	**Quero alugar…** <u>keh</u>Doo ahloo<u>gahr</u>
deck chair	**uma cadeira de praia [encosto]** <u>oo</u>mah kah<u>day</u>Dah ji p<u>righ</u>-ah [uhn<u>kohsh</u>too]
fishing equipment	**equipamento para pesca** aykeepah<u>mayn</u>too p<u>ah</u>Dah <u>pehs</u>kah
jet-ski	**um jet-ski** oong <u>zheh</u>chiskee
motorboat	**um barco a motor** oong <u>bahr</u>koo ah moh<u>tohr</u>
rowboat	**um barco a remos** oong <u>bahr</u>koo ah <u>hay</u>moos
sailboat	**um barco a vela** oong <u>bahr</u>koo ah <u>vel</u>lah

umbrella [sunshade]	**um guarda-sol** *oong gwahrdah saw-w*
surfboard	**uma prancha de surfe** *oomah prunshah ji soorfi*
water skis	**esquis aquáticos** *iskeez ahkwahchikoos*
windsurfer	**uma prancha de windsurfe** *oomah prunshah ji weenjisoorfi*
For… hours.	**Por… horas.** *poor… awDus*

Carnivals   Carnaval

Brazil almost stops when **Carnaval** comes. It starts on the Friday before Ash Wednesday and lasts until Ash Wednesday. Look for parades (**desfiles**) on the streets and carnival balls (**bailes carnavalescos**). The biggest **Carnaval** events are held in Rio, São Paulo, Salvador, and Olinda. The famed **Carnaval do Rio** sees the spectacularly colorful competition between the various samba schools (**escolas de samba**) in their parade through the Marquês de Sapucaí avenue, Rio de Janeiro.
Samba and **bossa nova** are the dance styles best known abroad; but regional rhythms like **pagode**, **lambada**, **frevo**, **forró**, **maracatu**, **baião**, **carimbó**, and **bumba-meu-boi** with their mixture of African, Indian, and European influences, are also very popular with locals and tourists. Why not join the rehearsals of the samba schools, especially in Rio before **Carnaval**, and learn to dance?

I'd like to join the samba school.	**Queria um curso de samba.** *kiDeeah oong koorsoo ji sumbah*
Where can I buy tickets for the parade on Saturday?	**Onde posso comprar ingressos para o desfile de sábado?** *onji possoo kohmprahr ingrehssoos pahDah oo jisfeeli ji sahbahdoo*
When does the… band start out?	**A que horas sai a escola…?** *a ki awDus sigh ah iskawlah*

música popular *moozikah pohpoolahr*
Folk music is very popular in Brazil, and differs from region to region; in the north, there is **baião**, **xaxado**, and **milonga**, while in the south, there is **congada** and **chula**. In the north of Portugal, there is **corridinho**, **dança dos pauliteiros**, **vira**, and **malhão**; in the south, the **fandango**, the **chula** and the **marcha** predominate.

Making Friends

Introductions	118	What weather!	122
Where are you from?	119	Enjoying your trip?	123
Who are you with?	120	Invitations	124
What do you do?	121	Socializing	126
		Telephoning	127

Introductions Apresentações

It's polite to shake hands, both when you meet and say good-bye.
In Portuguese, there are a number of forms for "you" (taking different verb forms):

tu is used when talking to a relative, close friend, and a child (and between young people); less commonly used in Brazil

você(s) is slightly more formal, used between people who know each other fairly well; used instead of "tu" in most parts of Brazil

the most formal way of saying "you" is **o(s) senhor(es)** to a man (men) and **a(s) senhora(s)** to a woman (women).

My name is…	**Meu nome é…** _mayw nohmi eh_
May I introduce…?	**Posso lhe apresentar…?** _possoo lyi ahprayzayntahr_
Luis, this is…	**Luis, apresento-lhe…** _looees ahprayzayntoolyi_
Pleased to meet you.	**Muito prazer.** _mweentoo prahzayr_
What's your name?	**Como se chama?** _kohmoo si shummah_
How are you?	**Como vai?** _kohmoo istah_
Fine, thanks. And you?	**Bem, obrigado(-a). E o/a senhor(a)?** _bayng ohbrigahdoo(-ah). ee oo/ah saynyohr (-nyawDah)_
fine	**ótimo(-a)** _awchimoo(-ah)_
not bad	**tudo bem** _toodoo bayng_
not so good	**Não muito bem** _nung-w mweentoo bayng_

– Olá, senhor. Como vai? (Hello. How are you?)
 – Tudo bem, obrigado. E a senhora?
  (Fine, thanks. And you?)
 – Ótima, obrigada. (Fine, thanks.)

Where are you from? De onde você é?

Where are you from?	**De onde você é?** *ji onji vohsay eh*
Where were you born?	**Onde nasceu?** *onji nah-sayw*
I'm from…	**Sou…** *soh*
Australia	**da Austrália** *dah owstrahlyer*
Canada	**do Canadá** *doo kunnahdah*
England	**da Inglaterra** *dah inglahteh-hah*
Germany	**da Alemanha** *dah ahlaymunnyah*
Ireland	**da Irlanda** *dah eerlundah*
Scotland	**da Escócia** *dah iskawssyah*
the U.S.	**dos Estados Unidos** *dooz istahdooz ooneedoos*
Wales	**do País de Gales** *doo pah-eez ji gahlis*
Where do you live?	**Onde vive?** *onji veevi*
What part of… are you from?	**É de que região…?** *eh ji ki hayzhi-ung-w*
Brazil	**do Brasil** *doo brahzeew*
Portugal	**de Portugal** *ji pohrtoogow*
Spain	**da Espanha** *dah ispunnyah*
We come here every year.	**Vimos aqui todos os anos.** *veemooz ahkee tohdooz ooz unnoos*
It's my/our first visit.	**É a minha/nossa primeira visita.** *eh ah meenyer/nossah primayDah veezeetah*
Have you ever been to the U.S./England?	**Já esteve nos Estados Unidos/na Inglaterra?** *zhah istayvi nooz istahdooz ooneedoos/inglahteh-hah*
How do you like it?	**Está gostando daqui?** *istah gohstundoo dahkee*
What do you think of the…?	**O que acha de…?** *oo ki ahshah ji*
I love the… here.	**Adoro… aqui.** *ahdawDoo… ahkee*
I don't care for the… here.	**… não me agrada muito.** *nung-w mi ahgrahdah mweentoo*
food/people	**a cozinha/o povo** *ah koozeenyah/oo pohvoo*

Who are you with? Com quem está?

Who are you with?	**Com quem está?** *koong kayng istah*
I'm on my own.	**Estou sozinho(-a)** *istoh sawzeenyoo(-ah)*
I'm with a friend.	**Estou com um(a) amigo(-a).** *istoh koong oong(oomah) ahmeegoo(-ah)*
I'm with my…	**Estou com…** *istoh koong*
wife/husband	**a minha mulher/o meu marido** *ah meenyah moolyair/oo mayw mahDeedoo*
family	**a minha família** *ah meenyah fahmeelyah*
children	**os meus filhos** *oos mayws feelyoos*
parents	**os meus pais** *oos mayws pighs*
boyfriend/girlfriend	**o meu namorado/a minha namorada** *oo mayw nahmohDahdoo/ah meenyah nahmohDahdah*
my father/son	**o meu pai/filho** *oo mayw pigh/feelyoo*
my mother/daughter	**a minha mãe/filha** *ah meenyah mung-y/feelyah*
my brother/uncle	**o meu irmão/tio** *oo mayw eermung-w/cheeoo*
my sister/aunt	**a minha irmã/tia** *ah meenyah eermung/chee-ah*
What's your son's/wife's name?	**Como se chama o seu filho/a sua mulher?** *kohmoo si shummah oo sayw feelyoo/ah sooah moolyair*
Are you married?	**É casado(-a)?** *eh kahzahdoo(-ah)*
I'm…	**Sou/Estou…** *soh/istoh*
married/single	**casado(-a)/solteiro(-a)** *kahzahdoo(-ah)/sohtayDoo(-ah)*
divorced/separated	**divorciado(-a)/separado(-a)** *jeevohrsi-ahdoo(-ah)/saypahDahdoo(-ah)*
engaged	**noivo(-a)** *nohyvoo(-ah)*
We live together.	**Vivemos juntos.** *veevaymoos zhoontoos*
Do you have any children?	**Tem/Têm filhos?** *tayng feelyoosh*
Two boys and a girl.	**Dois meninos e uma menina.** *dohys mineenoos ee oomah mineenah*

What do you do? Qual é a sua profissão?

What do you do?	**Em que trabalha?** *ing kay trabahlyah*
What are you studying?	**O que está estudando [a estudar]?** *oo kay istah istoodundoo*
I'm studying…	**Estudo…** *istoodoo*
human science	**ciências humanas** *syaynsyuz oomunnus*
the arts	**arte** *ahrchi*
I'm in…	**Estou…** *istoh*
business	**no comércio** *noo kohmairsyoo*
engineering	**em engenharia** *ing inzhaynyahDeeah*
sales	**em vendas** *ing vayndus*
Who do you work for?	**Para quem trabalha?** *pahDah kayng trahbahlyah*
I work for…	**Trabalho para…** *trahbahlyoo pahDah*
I'm (a/an)…	**Sou…** *soh*
accountant	**contador [contabilista]** *kohntahdohr [koontuhbileeshtuh]*
housewife	**dona-de-casa** *dohnah ji kahzah*
student	**estudante** *istoodunchi*
retired	**aposentado(-a) [reformado(-a)]** *ahpohzayntahdoo(-ah) [huhfoormahdoo]*
I'm self-employed.	**Trabalho por conta própria.** *trahbahlyoo poor kohntah prawpryah*
What are your interests/hobbies?	**Quais são os seus passatempos?** *kwighs sung-w oos sayws pah-sahtaympoos*
I like…	**Gosto de…** *gawstoo ji*
music	**música** *moozikah*
reading	**ler** *layr*
sports	**esporte [desporto]** *ispawrchi [duhshpohrtoo]*
I play…	**Jogo…** *zhawgoo*
Would you like to play…?	**Gostaria de jogar…?** *gohstahDeeah ji zhohgahr*
cards/chess	**cartas/xadrez** *kahrtus/shahdrays*

What weather! Que tempo!

What a lovely day!	**Que dia lindo!**	ki <u>jee</u>ah <u>leen</u>doo
What terrible weather!	**Que tempo horrível!** ki <u>taym</u>poo oh-<u>hee</u>vayw	
It's hot/cold today!	**Como está quente/frio hoje!** <u>koh</u>moo is<u>tah</u> <u>kayn</u>chi/<u>free</u>oo <u>oh</u>zhi	
Is it usually this warm?	**Normalmente é assim tão quente?** nohrmow<u>mayn</u>chi eh ah-<u>seeng</u> tung-w <u>kayn</u>chi	
Do you think it's going to… tomorrow?	**Acha que vai… amanhã?** <u>ah</u>shah ki vigh… amung-<u>nyung</u>	
be a nice day	**fazer um dia bonito** fah<u>zayr</u> oong <u>jee</u>ah boo<u>nee</u>too	
rain	**chover** shoo<u>vayr</u>	
cool	**esfriar** isfree<u>ahr</u>	
What is the weather forecast?	**Qual é a previsão do tempo?** kwow eh ah pravee<u>zung</u>-w doo <u>taym</u>poo	
It's…	**Vai…** vigh	
cloudy	**estar nublado** is<u>tahr</u> noo<u>blah</u>doo	
cool	**fazer frio** fah<u>zayr</u> <u>free</u>oo	
foggy	**haver nevoeiro** ah<u>vayr</u> nayvoo<u>ay</u>Doo	
frost	**gear** zhay-<u>ahr</u>	
rainy	**chover** shoo<u>vayr</u>	
stormy	**nevar** nay<u>vahr</u>	
sunny	**fazer sol** fah<u>zayr</u> saw-w	
windy	**ventar muito** vayn<u>tahr</u> <u>mween</u>too	
Has the weather been like this for long?	**Desde quando o tempo está assim?** <u>dayz</u>ji <u>kwun</u>doo oo <u>taym</u>poo is<u>tah</u> ah-<u>seeng</u>	
high/medium/low	**alta/média/baixa** <u>ow</u>tah/<u>meh</u>jah/<u>bigh</u>shah	

Enjoying your trip?
Que tal a viagem?

Está de férias?	Are you on vacation?
Como veio?	How did you get here?
Onde está hospedado [a ficar]?	Where are you staying?
Há quanto tempo está aqui [cá]?	How long have you been here?
Quanto tempo vai ficar?	How long are you staying?
O que fez até agora?	What have you done so far?
Para onde vai depois?	Where are you going next?
Está gostando [a gostar] das férias?	Are you enjoying your vacation?

I'm here on…	**Estou aqui…** _istoh ahkee_
business	**a negócios** _ah naygawssyoos_
vacation [holiday]	**de férias** _ji fehDyus_
We came by…	**Viemos de…** _vyemmoos ji_
car/plane	**carro/avião** _kah-hoo/ahveeung-w_
bus/train	**ônibus [autocarro]/trem [comboio]** _ohniboos [owtookah-hoo]/trayng [koomboh-yoo]_
I have a rental [hire] car.	**Aluguei um carro.** _ahloogay oong kah-hoo_
We're staying (in/at)…	**Estamos…** _istummoos_
an apartment	**num apartamento** _noong ahpahrtahmayntoo_
a hotel/campsite	**num hotel/ camping [parque de campismo]** _noong ohtehw/kumping [pahrkuh duh kumpeezhmoo]_
with friends	**na casa de amigos** _nah kahzah ji ummeegoos_
Can you suggest…?	**Pode sugerir…?** _pawji soozhayDeer_
things to do	**coisas interessantes para fazer** _kohyzuz intayDayssunchis pahDah fahzayr_
places to eat	**lugares [sítios] para comer** _loogahDis [seetyoosh] pahDah kohmayr_
We're having a great/ terrible time.	**Estamos passando [a passar] uma temporada muito agradável/horrível.** _istummoos pahssundoo [uh puh-sahr] oomah taympohDahdah mweentoo ahgrahdahvayw/oh-heevayw_

Invitations Convites

Would you like to have dinner with us on…?	**Quer jantar conosco no…?** kehr zhun<u>tahr</u> koh<u>nohs</u>koo noo
Are you free for lunch?	**Aceita meu convite para almoçar?** ah<u>say</u>tah mayw kohn<u>vee</u>chi pah<u>D</u>ah owmoh-<u>sahr</u>
Can you come for a drink this evening?	**Pode vir hoje à noite tomar uma bebida?** <u>paw</u>ji veer <u>oh</u>zhi ah <u>nohy</u>chi toh<u>mahr</u> <u>oo</u>mah bay<u>bee</u>dah
We are having a party. Can you come?	**Vamos dar uma festa. Quer vir?** <u>vum</u>mooz dahr <u>oo</u>mah <u>feh</u>stah. kehr veer
May we join you?	**Podemos ir com vocês?** poh<u>day</u>mooz eer koong voh-<u>says</u>
Would you like to join us?	**Querem vir conosco?** keh<u>Dayng</u> veer koh<u>nohs</u>koo

Going out Encontros

What are your plans for…?	**Quais são seus planos para…?** kwighs sung-w sayws <u>plun</u>noos pah<u>D</u>ah
today/tonight	**hoje/hoje à noite** <u>oh</u>zhi/<u>oh</u>zhi ah <u>nohy</u>chi
tomorrow	**amanhã** amung-<u>nyung</u>
Are you free this evening?	**Está livre hoje à noite?** is<u>tah</u> <u>lee</u>vri <u>oh</u>zhi ah <u>nohy</u>chi
Would you like to…?	**Quer…?** kair
go dancing	**ir dançar** eer dun<u>sahr</u>
go for a drink	**ir tomar uma bebida** eer toh<u>mahr</u> <u>oo</u>mah bay<u>bee</u>dah
go for a meal	**sair para comer alguma coisa** suh-<u>eer</u> <u>puh</u>Duh koh<u>mayr</u> ow<u>goo</u>mah <u>kohy</u>zah
go for a walk	**ir dar um passeio** eer dahr oong pah-<u>say</u>oo
go shopping	**ir às compras** eer ahs <u>kohm</u>prus
I'd like to go to…	**Quero ir ao/à…** <u>keh</u>Doo eer ow/ah
I'd like to see…	**Quero ir ver…** <u>keh</u>Doo eer vayr
Do you enjoy…?	**Gosta de…?** <u>gaws</u>tah ji

Accepting/Declining Aceitar/Recusar

Great. I'd love to.	**Ótimo! Adoraria ir.** _aw_chimoo. ahdoh_Dah_Dee_ah_ eer
Thank you, but I'm busy.	**Obrigado(-a), mas estarei ocupado(-a).** ohbri_gah_doo(-ah) muz istah_Day_ ohkoo_pah_doo(-ah)
May I bring a friend?	**Posso levar um(a) amigo(-a)?** _pos_soo lay_vahr_ oong(_oo_mah) ah_mee_goo(-ah)
Where shall we meet?	**Onde podemos nos encontrar?** _onji_ poh_day_moos nooz inkohn_trahr_
I'll meet you…	**Vou te encontrar [ter consigo]…** voh chi inkohn_trahr_ [tayr koon_see_goo]
in the bar	**no bar** noo bahr
in front of your hotel	**em frente ao hotel** ing _frayn_chi ow oh_tehw_l
I'll call for you at 8.	**Vou buscá-lo(-a) às oito.** voh boos_kah_loo(-ah) ahz _ohy_too
At about…?	**Por volta das…?** poor _vaw-w_tah dus
Could we make it a bit later/earlier?	**Pode ser um pouco mais tarde/cedo?** _paw_ji sayr oong _pohk_oo mighs _tahr_ji/_say_doo
How about another day?	**E que tal outro dia?** ee ki tow _ohtroo jee_ah
That will be fine.	**Está bem.** is_tah_ bayng

Dining out/in Jantar fora/em casa

Let me buy you a drink.	**O que quer beber?** oo ki kair bay_bayr_
Do you like…?	**Gosta de…?** _gaw_stah ji
What are you going to have?	**O que vai tomar?** oo ki vigh toh_mahr_
Are you enjoying your meal?	**Está gostando do jantar?** is_tah_ gohs_tun_doo doo zhun_tahr_
This is delicious.	**Está delicioso.** is_tah_ daylee_syoh_zoo
That was a lovely meal.	**Foi um jantar maravilhoso.** fohy oong zhun_tahr_ mahDahvee_lyoh_zoo

TIME ➤ 220

Socializing Trato social

Do you mind if I...?	**Importa-se que eu...?** *impawrtah si ki ayw*	
sit here/smoke	**me sente aqui/fume** *mi saynchi ahkee/foomi*	
Can I get you a drink?	**Posso oferecer-lhe uma bebida?** *possoo ohfayDaysayr-lyi oomah baybeedah*	
I'd love to have some company.	**Gostaria muito de ter companhia.** *gohshtahDeeah mweentoo ji tayr kohmpunneeah*	
Why are you laughing?	**Por que está rindo [a rir]?** *poor kay istah heendoo [uh heer]*	
Is my Portuguese that bad?	**O meu português é assim tão mau?** *oo mayw pohrtoogayz eh ah-seeing tung-w mow*	
Shall we go somewhere quieter?	**Vamos para um lugar [sítio] mais sossegado?** *vummoos pahDah [seetyoosh] oong loogahr mighs soo-saygahdoo*	
Leave me alone, please!	**Deixe-me em paz!** *dayshi mi ing pahs*	
You look great!	**Está lindo (-a)!** *istah leendoo(-ah)*	
May I kiss you?	**Posso beijar você?** *possoo bayzhahr vohsay*	
Would you like to come back with me?	**Quer voltar comigo?** *kehr voltar koomeegoo*	
I'm not ready for that.	**Ainda é muito cedo para isso.** *ah-eendah eh mweentoo saydoo pahDah eessoo*	
I'm afraid we've got to leave now.	**Lamento, mas temos de ir embora.** *lahmayntoo mus taymoos ji eer imbawDah*	
Thanks for the evening.	**Obrigado(-a) pela festa.** *ohbrigahdoo(-ah) paylah fehstah*	
Can I see you again tomorrow?	**Posso voltar a vê-la amanhã?** *possoo vohtar ah vaylah amung-nyung*	
See you soon.	**Até breve.** *ahteh brehvi*	
Can I have your address?	**Pode me dar o seu endereço [a sua morada]?** *pawji mi dahr oo sayw indayDayssoo [uh soo-uh mooDahduh]*	

SAFETY ➤ 65

Telephoning O telefone

In Brazil, you must buy cards, which are sold at most newsstands, and small shops near public phones. Local and inter-urban calls are made from green phones (**orelhões**). Overseas calls can be made from public telephone offices (**estação/central telefônica**) or from your hotel. To phone home, dial 00 followed by: 1, Canada; 353, Ireland; 44, United Kingdom; 1, United States. Note that you will usually have to omit the initial 0 of the area code. Portuguese telephone booths [boxes] are usually blue, marked **Telecom**, and take both coins and cards.

Can I have your telephone number?	**Pode me dar o número de seu telefone?** _pawji mi dahr oo noomayDoo ji sayw taylayfohni_
Here's my number.	**Este é o meu número.** _ayschi eh oo mayw noomayDoo_
Please call me.	**Telefone-me.** _taylayfohni mi_
I'll give you a call.	**Vou lhe telefonar.** _voh lyi taylayfohnahr_
Where's the nearest telephone booth [box]?	**Onde fica o telefone público [a cabine de telefone] mais próximo/a?** _onji feekah oo taylayfohni pooblikoo [uh kuhbeenuh duh tuhluhfohnuh] mighs prossimoo [prossimah]_
May I use your phone?	**Posso telefonar?** _possoo taylayfohnahr_
It's an emergency.	**É uma emergência.** _eh oomah aymayrzhaynsyah_
I'd like to call someone in England.	**Quero telefonar para a Inglaterra.** _kehDoo taylayfohnahr pahDah ah inglahteh-hah_
What's the area [dialling] code for...?	**Qual é o código do país e da cidade...?** _kwow eh oo kawjeegoo doo pah-eez ee dah sidahji_
I'd like a phone card.	**Queria um cartão telefônico.** _kiDeeah oong kahrtung-w taylayfohnikoo_
What's the number for Information [Directory Enquiries]?	**Qual é o número para obter informações?** _kwow eh oo noomayDoo pahDah ohbitayr infohrmahssoyngs_
I'd like the number for...	**Queria o número...** _kiDeeah oo noomayDoo_
I'd like to call collect [reverse the charges].	**Queria fazer uma chamada a cobrar.** _kiDeeah fahzayr oomah shummahdah ah kohbrahr_

On the phone Ao telefone

Hello. This is…	**Alô! [Estou]!** *ahloh [ushtoh]*
I'd like to speak to…	**Queria falar com…** *ki<u>Dee</u>eah fah<u>lahr</u> koong*
Extension…	**Ramal [Extensão]…** *hum<u>mow</u> [ushtun<u>sung</u>-w]*
Speak louder/more slowly, please.	**Fale mais alto/devagar, por favor.** *<u>fah</u>li mighz <u>ow</u>too/jivah<u>gahr</u> poor fah<u>vohr</u>*
Could you repeat that?	**Poderia repetir?** *pohday<u>Dee</u>eah haypay<u>cheer</u>*
I'm afraid he's/she's not in.	**Ele/ela não está.** *<u>ay</u>li/<u>el</u>lah nung-w is<u>tah</u>*
You have the wrong number.	**É engano.** *eh in<u>gun</u>noo*
Just a moment.	**Só um momento.** *saw oong moh<u>mayn</u>too*
Hold on.	**Não desligue.** *nung-w jiz<u>lee</u>ghi*
When will he/she be back?	**Quando ele/ela vai voltar?** *<u>kwun</u>doo <u>ay</u>li/<u>el</u>lah vigh voh<u>tahr</u>*
Will you tell him/her that I called?	**Poderia lhe dizer que eu telefonei?** *pohday<u>Dee</u>eah lyi jee<u>zayr</u> ki ayw taylayfoh<u>nay</u>*
My name is…	**Meu nome é…** *mayw <u>noh</u>mi eh*
Would you ask him/her to phone me?	**Poderia lhe pedir que me telefone?** *pohday<u>Dee</u>eah lyi pay<u>jeer</u> ki mi taylay<u>foh</u>ni*
Would you take a message, please?	**Posso deixar um recado?** *<u>pos</u>soo day<u>shahr</u> oong hay<u>kah</u>doo*
I must go now.	**Preciso desligar [terminar].** *pray<u>see</u>zoo jizlee<u>gahr</u> [tuhrmi<u>nahr</u>]*
Nice to speak to you.	**Foi bom falar com você [consigo].** *fohy bohng fah<u>lahr</u> koong voh<u>say</u> [koon<u>see</u>goo]*
I'll be in touch.	**Volto a ligar.** *<u>vaw-w</u>too ah lee<u>gahr</u>*
Bye.	**Tchau.** *chow*

Stores & Services

Stores and services	130	**Household articles**	148
Hours	132	Jeweler	149
Service	133	Newsstand [News-	
Preferences	134	agent]/Tobacconist	150
Decisions	135	Photography	151
Paying	136	Police	152
Complaints	137	Lost property/Theft	153
Repairs/Cleaning	137	Post office	154
Bank/Currency		Souvenirs	156
exchange	138	Gifts	156
Pharmacy	140	Music	157
Toiletries	142	Toys and games	157
Clothing	143	Antiques	157
Color	143	Supermarket/	
Size	146	Minimart	158
Health and beauty	147		
Hairdresser	147		

Stores in Brazil and Portugal are generally small and individual. However, department store chains appear in major towns and large self-service hypermarkets have developed, particularly on the outskirts of urban areas.

A wide variety of markets exist in Portugal and Brazil; some permanent, others open just one morning a week. There is generally opportunity to bargain over prices.

ESSENTIAL

I'd like…	**Queria…** ki<u>Dee</u>ah
Do you have…?	**Tem…?** tayng
How much is this?	**Quanto custa isto?** <u>kwun</u>-too <u>koos</u>tah <u>ees</u>too
Thank you.	**Obrigado(-a).** ohbri<u>gah</u>doo(-ah)

ABERTO	open
FECHADO	closed

Stores and services Lojas e serviços
Where is…? Onde é…?

Where's the nearest…?	**Onde é o/a… mais próximo(-a)?** <u>onji</u> eh oo/ah… mighs pr<u>aw</u>ssimoo(-ah)
Where's there a good…?	**Onde há um(a) bom (boa)…?** <u>onji</u> eh ki ah oong(<u>oomah</u>) bong (<u>boh</u>-ah)
Where's the main shopping mall [centre]?	**Onde é o principal centro comercial?** <u>onji</u> eh oo prinsi<u>pow</u> s<u>ayn</u>troo kohmayrs<u>yow</u>
How do I get there?	**Como chego lá?** <u>kohmoo</u> sh<u>ay</u>goo lah

Stores Lojas

antiques shop	**o antiquário** oo unchi<u>kwah</u>Dyoo
bakery	**a padaria** ah pahdah<u>Dee</u>ah
bank	**o banco** oo <u>bun</u>koo
bookstore	**a livraria** ah leevrah<u>Dee</u>ah
butcher	**o açougue** oo ahs<u>soh</u>-ghi
camera store	**a loja de artigos fotográficos** ah <u>law</u>zhah ji ahr<u>chee</u>goos fohtoh<u>grah</u>fikoos
clothing store [clothes shop]	**a loja de roupas** ah <u>law</u>zhah ji <u>hoh</u>pus
delicatessen	**a sorveteria** ah sohrvaytay<u>Dee</u>ah
department store	**a loja de departamentos** ah <u>law</u>zhah ji daypahrtah<u>mayn</u>toos
drugstore	**a farmácia** ah fahr<u>mah</u>syah
fish store [fishmonger]	**a peixaria** ah payshah<u>Dee</u>ah
florist	**a florista** ah floh<u>Dee</u>stah
greengrocer	**a quitanda** ah kee<u>tun</u>dah
health food store	**a loja de produtos dietéticos** ah <u>law</u>zhah ji prohd<u>oo</u>tooz jay<u>tai</u>chikoos
jewelry store	**a joalheria** ah zhooahlyay<u>Dee</u>ah

liquor store [off-licence]	**a loja de vinhos** *ah lawzhah ji veenyoos*	
market	**o mercado** *oo mayrkahdoo*	
newsstand [newsagent]	**a banca de jornais** *ah bunkah ji zhohrnighs*	
pharmacy [chemist]	**a farmácia** *ah fahrmahsyah*	
produce store	**a mercearia** *ah mayrsyahDeeah*	
music store	**a loja de discos** *ah lawzhah ji jeeskoos*	
shoe store	**a sapataria** *ah sahpahtahDeeah*	
souvenir store	**a loja de lembranças** *ah lawzhah ji laymbrunsus*	
sporting goods store	**a loja de artigos esportivos [de desporto]** *ah lawzhah ji ahrcheegooz ispohrcheevoos [duh duhshpohrtoo]*	
supermarket	**o supermercado** *oo soopayrmayrkahdoo*	
tobacconist	**a tabacaria** *ah tahbahkahDeeah*	
toy and game store	**a loja de brinquedos** *ah lawzhah ji brinkaydoos*	

Services Serviços

dentist	**o dentista** *oo dayncheestah*
doctor	**o médico** *oo maijikoo*
dry cleaner	**a lavanderia** *ah lahvundayDeeah*
hairdresser (women/men)	**o cabeleireiro (de senhoras/homens)** *oo kahbaylayDayDoo (ji saynyawDus/ohmayngs)*
hospital	**o hospital** *oo ohspitow*
laundromat	**a sapataria** *ah lahvundayDeeah*
library	**a biblioteca** *ah beeblyohtekkah*
optician	**o oculista** *oo ohkooleestah*
post office	**o correio** *oo koh-hayoo*
travel agency	**a agência de viagens** *ah ahzhaynsyah ji viahzhayngs*

131

Hours Horários de abertura

When does the… open/close?	**A que horas… abre/fecha?** *kwun*doo eh ki… *ah*bri/*feh*shah
Are you open in the evening?	**Estão abertos à noite?** is*tung-w* ah*bair*tooz ah *noh*ychi
Do you close for lunch?	**Fecham à hora do almoço?** *feh*shung-w nah *aw*Dah doo ow*moh*soo
Where is…?	**Onde é…** *on*ji eh

General hours in Brazil [and Portugal]

General times for:	Open	Close	Lunch break	Closed
stores	9	6 [7]	none [1-3]	Sat p.m., Sun
shopping malls	10	10 [12]	none	—
hypermarkets	9	9	none	Sun
post offices	8 [8.30/9]	6	none	Sat p.m., Sun
banks	10 [8.30]	4.30 [3]	none	weekend

cashier [cash desk]	**a caixa** ah *kigh*shah
escalator	**a escada rolante** ah is*kah*dah hoh*lun*chi
elevator [lift]	**o elevador** oo aylayvah*dohr*
store directory [guide]	**o mezanino** oo mayzun*nee*noo
It's in the basement.	**É no subsolo.** eh noo soobis*saw*loo
It's on the… floor.	**É no… andar.** eh noo… un*dahr*
first [ground *(U.K.)*] floor	**o térreo** oo *teh*-hyoo
second [first *(U.K.)*] floor	**o primeiro andar** oo pri*may*Doo un*dahr*

ABERTO TODO O DIA	open all day
FECHADO PARA O ALMOÇO	closed for lunch
HORÁRIO DE ABERTURA	hours [business hours]
SAÍDA DE EMERGÊNCIA	emergency exit
ENTRADA	entrance
SAÍDA	exit
SAÍDA DE INCÊNDIO	fire exit
ESCADAS	stairs

Service Serviço

Can you help me?	**Pode ajudar-me?** _pawji mi ahzhoodahr_
I'm looking for…	**Estou à procura de…** _istoh ah prohkooDah ji_
I'm just browsing.	**Estou apenas olhando.** _istoh saw ohlyundoo_
It's my turn.	**É a minha vez.** _eh ah meenyah vays_
Do you have any…?	**Tem…?** _tayng_
I'd like to buy…	**Queria comprar…** _kiDeeah kohmprahr_
Could you show me…?	**Podia me mostrar…?** _poojeeah mi mohstrahr_
How much is this/that?	**Quanto custa isto/isso?** _kwuntoo koostah eestoo/eessoo_
That's all, thanks.	**É só, obrigado.** _eh saw, ohbrigahdoo_

Bom dia/Boa tarde.	Good morning/afternoon.
Já está sendo servido?	Are you being served?
Deseja alguma coisa?	Can I help you?
O que deseja?	What would you like?
Já vou verificar isso.	I'll just check that for you.
É só o que deseja?	Is that everything?
Mais alguma coisa?	Anything else?

– *Deseja alguma coisa?* (Can I help you?)
 – *Não, obrigada. Estou apenas olhando.*
   (No, thanks. I'm just browsing.)
 – *Fique à vontade.* (Fine.)
  – *Por favor.* (Excuse me.)
– *Sim, o que deseja?* (Yes, what would you like?)
  – *Quanto custa isso?* (How much is this?)
– *Hum… vou verificar. São trinta reais [euros].*
 (Hm, I'll check that for you… 30 reais [euros].)

PROMOÇÃO	special offer
SALDO	clearance [sale]
SELF-SERVICE	self-service
SERVIÇO AOS CLIENTES	customer service

Preferences Preferências

I don't want anything too expensive.	**Não quero nada muito caro.** nung-w <u>keh</u>Doo <u>nah</u>dah <u>mween</u>too <u>kah</u>Doo
Around… euros/reais.	**Por volta de… reais.** poor <u>vaw-w</u>tah ji… hay-<u>ighs</u>
I'd like something…	**Queria uma coisa…** ki<u>Dee</u>ah <u>oo</u>mah <u>koh</u>yzah
It must be…	**Tem que ser…** tayng ki sayr
big/small	**grande/pequeno(-a)** <u>grun</u>ji/pi<u>kay</u>noo(-ah)
cheap/expensive	**barato(-a)/caro(-a)** bah<u>Dah</u>too(-ah)/<u>kah</u>Doo(-ah)
dark/light	**escuro(-a)/claro(-a)** is<u>koo</u>Doo(-ah)/<u>klah</u>Doo(-ah)
light/heavy	**leve/pesado(-a)** <u>le</u>vvi/pay<u>zah</u>doo(-ah)
oval/round/square	**oval/redondo(-a)/quadrado(-a)** oh<u>vow</u>/hay<u>doh</u>ndoo(-ah)/kwah<u>drah</u>doo(-ah)
genuine/imitation	**autêntico(-a)/imitação** ow<u>tayn</u>chikoo(-ah)/eemeetah-<u>sung</u>-w
Do you have anything…?	**Tem alguma coisa… ?** tayng ow<u>goo</u>mah <u>koh</u>yzah
larger	**maior** migh-<u>awr</u>
better quality	**de melhor qualidade** ji may<u>lyawr</u> kwahli<u>dah</u>ji
cheaper	**mais barata** mighz bah<u>Dah</u>tah
smaller	**menor** may<u>nawr</u>

Qual… que deseja?	Which… would you like?
a cor/o modelo	color/shape
a marca/a quantidade	quality/quantity
De que tipo queria?	What kind would you like?
Quanto é que queria gastar?	What price range are you thinking of?

Can you show me…?	**Pode-me mostrar…?** <u>paw</u>ji mi moh<u>strahr</u>
this/that	**este/esse** <u>ay</u>schi/<u>ay</u>ssi
these/those	**estes/esses** <u>ay</u>schis/<u>ay</u>ssis

COLOR ➤ 143

Conditions of purchase
Condições de compra

Is there a guarantee?	**Tem garantia?** *tayng gahDuncheeah*
Are there any instructions with it?	**Vem com instruções?** *vayng koong instroo-soyngz*

Out of stock Esgotado

Sinto muito, mas não temos.	I'm sorry, we don't have any.
Está esgotado.	We're out of stock.
Posso-lhe mostrar outra coisa/ um tipo diferente?	Can I show you something else/ a different kind?
Quer que encomende?	Shall we order it for you?

Can you order it for me?	**Pode encomendar?** *pawji mi aynkohmayndahr*
How long will it take?	**Quanto tempo demora?** *kwuntoo taympoo daymawDah*
Is there another store that sells…?	**Em que outro lugar eu poderia encontrar…?** *ing ki ohtroo loogahr ayw pohdayDeeah inkohntrahr*

Decisions Decisões

That's not quite what I want.	**Não é bem o que eu quero.** *nung-w eh bayng oo ki ayw kehDoo*
No, I don't like it.	**Não, não gosto.** *nung-w, nung-w gawstoo*
It's too expensive.	**É muito caro.** *eh mweentoo kahDoo*
I'll take it.	**Vou levar..** *voh layvahr*

– Bom dia, senhora. Queria uma camiseta.
(Hello. I'd like a sweatshirt.)
– *Pois não. De que cor gostaria?*
(Certainly. What kind would you like?)
– Cor-de-laranja, por favor. Tamanho G.
(Orange, please. And it has to be large.)
– *Aqui está. São cinquenta reais.*
– Hum, não é bem o que quero. Muito obrigada.
(Hm, that's not quite what I want. Thanks anyway.)

Paying Pagamento

Small businesses may not accept credit cards; however, large stores, restaurants and hotels accept major credit cards, traveler's checks and Eurocheques – look for the signs on the door. Tax can be reclaimed on larger purchases in Portugal when returning home (if outside the EU).

Where do I pay?	**Onde é que pago?** ohnji eh ki <u>pah</u>goo
How much is it?	**Quanto custa?** <u>kwun</u>too <u>koo</u>stah
Could you write that down?	**Podia me escrever isso num papel?** poo<u>jee</u>ah mi iskray<u>vayr</u> <u>ees</u>soo noong pah<u>paiw</u>
Do you accept traveler's checks [cheques]?	**Aceita cheques de viagem?** ah-<u>say</u>tah <u>shekk</u>iz ji <u>vyah</u>zhayng
I'll pay…	**Vou pagar…** voh pah<u>gahr</u>
by cash	**em dinheiro** ing ji<u>nyay</u>Doo
by credit card	**com cartão de crédito** koong kahr<u>tung</u>-w ji <u>kred</u>-jitoo
I don't have any small change.	**Não tenho mais trocado.** nung-w <u>tay</u>nyoo mighs troh<u>kah</u>doo
Sorry, I don't have enough money.	**Desculpe, não tenho dinheiro suficiente.** jis<u>koo</u>pi nung-w <u>tay</u>nyoo jee<u>nyay</u>Doo soofi<u>syayn</u>chi
Please give me a receipt.	**Poderia me dar uma nota, por favor?** pohday<u>Dee</u>ah mi dahr <u>oo</u>mah <u>naw</u>tah poor fah<u>vohr</u>
I think you've given me the wrong change.	**Acho que o troco que me deu não está certo.** <u>ah</u>shoo ki oo <u>troh</u>koo nung-w is<u>tah</u> <u>sair</u>too

Como deseja pagar?	How are you paying?
Esta transação não foi autorizada.	This transaction has not been approved/accepted.
Este cartão não é válido.	This card is not valid.
Posso usar outra forma de identificação?	May I have additional identification?
Não tem trocado?	Do you have any small change?

PAGUE AQUI POR FAVOR	please pay here

Complaints Reclamações

This doesn't work.	**Isto está com defeito.** _ees_too is_tah_ koong day_fay_too
Where can I make a complaint?	**Onde posso fazer uma reclamação?** _ohn_ji _paws_soo fah_zayr oo_mah hayklummah-_sung_-w
Can you exchange this, please?	**Poderia trocar isto, por favor?** pohday_Dee_ah troh_kahr ees_too poor fah_vohr_
I'd like a refund.	**Queria um reembolso.** ki_Dee_ah oong hay-im_boh_-soo
Here's the receipt.	**Está aqui está a nota.** ah_kee_ is_tah_ ah _naw_tah
I don't have the receipt.	**Não tenho a nota.** nung-w _tay_nyoo ah _naw_tah
I'd like to see the manager.	**Queria falar com o/a gerente.** ki_Dee_ah fah_lahr_ koong oo/ah zhay_Dayn_chi

Repairs/Cleaning Consertos/Limpeza

This is broken. Can you repair it?	**Isto está quebrado. Poderia consertar?** _ees_too is_tah_ kay_brah_doo. pohday_Dee_ah kohnsay_rtahr_
Do you have… for this?	**Tem… para isto?** tayng… _pah_Dah _ees_too
a battery	**uma pilha** _oo_mah _peel_yah
replacement parts	**peças de reposição** _pais_suz ji haypohzis_sung_-w
There's something wrong with the…	**Alguma coisa aqui não está bem…** ow_goo_mah _koh_yzah ah_kee_ nung-w is_tah_ bayng
I'd like this…	**Queria isto…** ki_Dee_ah _ees_too
cleaned/pressed	**limpo/passado** _leem_poo/pah-_sah_doo
Can you… this?	**Pode… isto?** _paw_ji… _ees_too
alter/mend	**modificar/consertar** mohjeefi_kahr_/kohnsay_rtahr_
When will it be ready?	**Quando ficará pronto?** _kwun_doo feekah_Dah_ _prohn_too
This isn't mine.	**Isto não me pertence.** _ees_too nung-w mi payr_tayn_si

TIME ➤ 220; DATES ➤ 218

Bank/Currency exchange
Banco/Câmbio

Currency exchange offices (**câmbio**) can be found in most Brazilian and Portuguese tourist centers; they generally stay open longer than banks, especially during the summer season.
You can also change money at travel agencies and hotels, but the rate will not be as good.
Remember your passport when you want to change money.

Where's the nearest…?	**Onde é… mais próximo(-a)?** *ohnji eh… mighs prawssimoo(-ah)*
bank	**o banco** *oo bunkoo*
currency exchange office [bureau de change]	**a casa de câmbio** *ah kahzah ji kumbyoo*

CAIXAS	cashiers
TODAS AS TRANSACÇÕES	all transactions
MOEDAS ESTRANGEIRAS	foreign currency

Changing money Trocar dinheiro

Can I exchange foreign currency here?	**Posso trocar moedas estrangeiras aqui?** *pawssoo trohkahr moo-aiduz istrunzhayDuz ahkee*
I'd like to change some dollars/ pounds into euros/reais.	**Queria trocar dólares/libras por reais** *kiDeeah trohkahr dawlahDis/ leebrus poor hay-ighs*
I want to cash some traveler's checks [cheques].	**Quero trocar cheques de viagem.** *kaiDoo trohkahr shekkis ji vyazhayng*
What's the exchange rate?	**Quanto está o câmbio?** *kwuntoo istah oo kumbyoo*
How much commission do you charge?	**Quanto cobram de comissão?** *kwuntoo kawbrung-w ji kohmee-sung-w*
I've lost my traveler's checks.	**Perdi o meu talão de cheques.** *payrjee oo mayw tahlung-w ji shekkis*
These are the numbers.	**Os números são estes.** *ooz noomayDoos sung-w aystis*

Security Segurança

Posso ver…?	Could I see…?
o seu passaporte	your passport
um documento de identificação	some identification
o seu cartão de banco	your bank card
Qual seu endereço?	What's your address?
Onde está hospedado?	Where are you staying?
Preencha este formulário, por favor.	Fill out this form, please.
Assine aqui, por favor.	Please sign here.

ATMs (Cash machines) Caixa eletrônico

Can I withdraw money on my credit card here?
Posso sacar [levantar] dinheiro aqui com o meu cartão de crédito? *pawssoo sahkahr [luhvuntahr] jinyayDoo ahkee koong oo mayw kahrtung-w ji kred-jitoo*

Where are the ATMs (cash machines)?
Onde ficam os caixas eletrônicos? *ohnji feekung-w oos kighshuz aylaytrohnikoos*

Can I use my… card in the ATM?
Posso usar o meu cartão… no caixa eletrônico? *pawssoo oozahr oo mayw kahrtung-w… noo kighshah aylaytrohnikoo*

The ATM [cash machine] has eaten my card.
O meu cartão ficou retido no caixa eletrônico. *oo mayw kahrtung-w fikoh haycheedoo noo kighshah aylaytrohnikoo*

CAIXA ELETRÔNICO	automated teller (ATM)/ cash machine

In 2002 the currency in most EU countries, including Portugal, changed to the euro (€), divided into 100 cents (**cêntimos**). The currency in Brazil is the real (R$, plural **reais**), divided into 100 **centavos**.

Brazil *Coins*: 1, 5, 10, 25, 50 centavos; 1 R$
Notes: 1, 2, 5, 10, 20, 50, 100 R$

Portugal *Coins*: 1, 2, 5, 10, 20, 50 cêntimos; €1, 2
Notes: €5, 10, 20, 50, 100, 200, 500

Pharmacy Farmácia

Pharmacies are easily recognized by their sign: a green or red cross, usually lit up.

If you are looking for a pharmacy at night, on Sundays or holidays, you'll find the address of all-night pharmacies (**farmácia de serviço**) listed in the newspaper and displayed in all pharmacy windows. In Portugal, many pharmacies sell only pharmaceutical products, though some now sell cosmetics – also available in a **perfumaria**. Household and toilet articles can be bought from a **drogaria**. In Brazil, you can normally find medicines, perfume, cosmetics and household articles.

Where's the nearest (all-night) pharmacy?	**Onde fica a farmácia de plantão mais próxima?** _ohnji feekah ah fahrmahsyah ji pluntung-w mighs prawssimah_
What time does the pharmacy open/close?	**A que horas a farmácia abre/fecha?** _ah ki awDuz ah fahrmahsyah ahbri/faishah_
Can you make up this prescription for me?	**Pode me aviar esta receita?** _pawji mi ahvi-ahr aistah hay-saytah_
Shall I wait?	**Posso esperar?** _pawssoo ispayDahr_
I'll come back for it.	**Venho buscá-la mais tarde.** _vaynyoo booskahr mighs tahrji_

Dosage instructions Posologia

How much should I take?	**Quanto devo tomar?** _kwuntoo dayvoo tohmahr_
How often should I take it?	**Quantas vezes devo tomar?** _kwuntuz vayziz dayvoo tohmahr_
Is it suitable for children?	**É indicado para crianças?** _eh injikahdoo pahDah kri-unsus_

Tome... comprimidos	Take... pills/tablets
Tome... colheres de chá	Take... teaspoons
antes/depois das refeições	before/after meals
com água	with water
inteiros	whole
De manhã/à noite	in the morning/at night
Durante... dias	for... days

| VENENO | poison |
| PARA USO EXTERNO | for external use only |

Asking advice Pedindo conselho

What would you recommend for (a/an)…?	**O que me recomenda para…?** *oo ki mi haykohmayndah pahDah*
cold	**o resfriado** *oong haysfriahdoo*
cough	**a tosse** *tawssi*
diarrhea	**a diarréia** *jah-hai-yah*
hangover	**uma ressaca** *oomah hay-sahkah*
insect bites	**picadas de inseto** *peekahduz ji eensettoo*
motion [travel] sickness	**enjôo** *inzhoh-oo*
sore throat	**dor de garganta** *dohr ji gahrguntah*
sunburn	**queimadura de sol** *kaymahdooDah ji saw-w*
upset stomach	**uma indisposição gástrica** *oomah injispohzissung-w gahstrikah*
Can I get it without a prescription?	**Posso comprar sem receita médica?** *pawssoo kohmprahr sayng hay-saytah maijikah*
Can I have some…?	**Por favor, quero…** *poor fahvohr, kaiDoo*
antiseptic cream	**uma pomada antisséptica** *oomah poomahdah unchissetchikah*
(soluble) aspirin	**aspirina** *ahspeeDeenah*
condoms	**preservativos** *prayzayrvahcheevoos*
cotton [cotton wool]	**algodão** *owgoodung-w*
gauze [bandage]	**uma atadura** *oomah ahtahdooDah*
insect repellent	**um repelente para insetos** *oong haypaylaynchi pahDah insettoos*
painkillers	**um analgésico** *oong unnowzhezzikoo*

Toiletries Produtos de higiene e cosméticos

I'd like…	**Queria…** kiDeeah
aftershave	**uma loção pós-barba** *oomah loh-sung-w pawz bahrbah*
deodorant	**um desodorante** *oong dayzohdohDunchi*
razor blades	**lâminas de barbear** *lumminuz ji bahrbiahr*
sanitary napkins [towels]	**absorventes higiênicos [pensos higiénicos]** *ahbi-sohrvaynchiz izhyennikoos [paynsooz eezhyainikoosh]*
soap	**um sabonete** *oong sahbohnaychi*
sun block	**um protetor solar** *oong brohnzyadohr*
suntan cream	**um creme de bronzear** *oom kremmer der bronzyar*
	um bronzeador *oong brohnzyadohr*
tampons	**tampões higiênicos** *tumpoyngz izhyennikoos*
tissues	**lenços de papel** *laynsooz ji pahpaiw*
toilet paper	**papel higiênico** *pahpaiw izhyennikoo*
toothpaste	**uma pasta de dente** *oomah pahshtah ji daynchi*

Haircare Produtos para o cabelo

comb	**o pente** *oo paynchi*
conditioner	**o condicionador [amaciador] para cabelo** *oo kohnjisyohnahdohr [uhmuhsyuhdohr] pahDah kahbayloo*
hair spray	**o fixador [laca] para cabelo** *oo fikkissadohr [lahkuh] pahDah kahbayloo*
shampoo	**o xampu** *oo shumpoo*

For the baby Para o bebê

baby food	**a comida de bebê** *ah koomeedah ji baybay*
baby wipes	**os lenços umedecidos [os toalhetes] de limpeza do bebê** *ooz laynsooz oosh [tooahlyettush] oomaydayseedos ji limpayzah doo baybay*
diapers [nappies]	**as fraldas** *us frowdus*

Clothing Vestuário

You'll find that airport boutiques offering tax-free shopping may have cheaper prices but less selection.

General Generalidades

I'd like…	**Queria…** *ki<u>Dee</u>ah*
Do you have any…?	**Tem… ?** *tayng*

ROUPA DE CRIANÇAS	childrenswear
ROUPA DE HOMEM	menswear
ROUPA DE SENHORA	ladieswear

Color Cor

I'm looking for something in…	**Estou à procura de uma coisa de cor…** *is<u>toh</u> ah proh<u>koo</u>Dah ji <u>oo</u>mah <u>koh</u>yzah ji kohr*
beige	**bege** *<u>bai</u>zhi*
black	**preta** *<u>pray</u>too*
blue	**azul** *ah<u>zoow</u>*
brown	**marrom** *mah-<u>hong</u>*
green	**verde** *<u>vayr</u>ji*
gray	**cinza** *<u>seen</u>zah*
orange	**laranja** *lah<u>Dun</u>zah*
pink	**rosa** *<u>haw</u>zah*
purple	**roxa** *<u>hoh</u>shah*
red	**vermelha** *vayr<u>may</u>lyah*
white	**branca** *<u>brun</u>kah*
yellow	**amarela** *ahmah<u>Del</u>lah*
light…	**clara…** *<u>lah</u>Dah*
dark…	**escura…** *<u>skoo</u>Dah*
I'd like a darker/lighter shade.	**Queria um tom mais escuro/mais claro.** *ki<u>Dee</u>ah oong tong mighz is<u>koo</u>Doo/ mighs <u>klah</u>Doo*
Do you have the same in…?	**Tem o mesmo na cor…?** *tayng oo <u>mayz</u>moo nah kohr*

Clothes and accessories
Roupas e acessórios

belt	**o cinto** oo _seen_too
bikini	**o biquíni** oo bi_kee_ni
blouse	**a blusa** ah _bloo_zah
bra	**o sutiã** oo sootchi-_ung_
briefs	**a calcinha** ah kow-_seen_yah
coat	**o casaco comprido/curto** oo kah_zah_koo koom_pree_doo/_koor_too
dress	**o vestido** oo vis_tee_doo
handbag	**a bolsa** ah _boh_-sah
hat	**o chapéu** oo shah_paiw_
jacket	**o casaco (curto)** oo kah_zah_koo (_koor_too)
jeans	**o jeans** oo jeens
leggings	**a meia-calça** ah mayah-_kow_-sah
pants	**a calça** ah _kow_-sah
pantyhose [tights]	**o collant** oo koh_lung_
raincoat	**a capa de chuva [a gabardine]** ah _kah_pah ji _shoo_vah [ah gahbahr_jee_eni]
scarf	**o lenço de pescoço** oo _layn_soo ji pays_koh_soo
shirt	**a camisa** ah kah_mee_zah
shorts	**o maiô** oo migh-_oh_
skirt	**a saia** ah _sigh_-ah
socks	**as meias curtas/compridas** uz _may_us _koor_tus/koom_pree_dus
stocking	**a meia** ah _may_ah
suit	**o terno [o fato]** oo _tair_noo [oo _fah_too]
sweatshirt	**a blusa de moletom** ah _bloo_zah ji mohlay_tong_
sweater	**o suéter** oo soo-_et_tayr
swimming trunks	**o calção [o fato] de banho** oo kow-_sung_-w [oo _fah_too] ji _bun_yoo
swimsuit	**o maiô [o fato]** oo migh-_oh_ [oo _fah_too]
trousers	**as calças** ahs _kow_-sah

144

Shoes Sapatos

boots	**as botas** uz <u>baw</u>tus
flip-flops	**os chinelos de borracha** oos shi<u>nell</u>ooz ji boh-<u>hah</u>shah
running [training] shoes	**os tênis** oos <u>tay</u>nis
sandals	**as sandálias** us sun<u>dah</u>lyus
shoes	**os sapatos** oos sah<u>pah</u>toos
slippers	**as pantufas [as chinelas]** us pun<u>too</u>fus [ush shee<u>nell</u>ush]

Walking/Hiking gear Equipamento esportivo

knapsack	**a mochila** ah moo<u>shee</u>lah
walking boots	**as botas para caminhada** uz <u>baw</u>tus pah<u>Dah</u> kahmeen<u>yah</u>dah
waterproof jacket [anorak]	**a jaqueta impermeável** ah zha<u>kay</u>tah eempayrmi-<u>ah</u>vayw
windbreaker [cagoule]	**o quebra-vento** oo <u>kai</u>brah <u>vayn</u>too

Fabric Tecido

I'd like something in…	**Queria uma coisa de…** ki<u>Dee</u>ah <u>oo</u>mah <u>koh</u>yzah ji
cotton	**algodão** owgoo<u>dung-w</u>
denim	**brim** breeng
lace	**renda** <u>hayn</u>dah
leather	**couro** <u>koh</u>Doo
linen	**linho** <u>lee</u>nyoo
wool	**lã** lung
Is this…?	**Isto é…?** <u>ees</u>too eh
pure cotton	**de algodão puro** ji owgoo<u>dung-w</u> <u>poo</u>Doo
synthetic	**sintético** sin<u>tet</u>chikoo
Is it hand/machine washable?	**Isto é para lavar à mão/na máquina?** <u>ees</u>too eh <u>pah</u>Dah lah<u>vahr</u> ah mung-w/ nah <u>mah</u>kinah

Does it fit? Serve?

Can I try this on?	**Posso provar isto?**	*pawssoo prohvahr eestoo*
Where's the fitting room?	**Onde é o provador?** *ohnji eh oo prohvahdohr*	
It fits well. I'll take it.	**Ficou bom. Vou levar.** *feekoh bohng. Voh layvahr*	
It doesn't fit.	**Não me serviu.** *nung-w mi sayrveew*	
It's too…	**É… demais** *eh… jimighs*	
short/long	**curto(-a)/comprido(-a)** *koortoo(-ah)/koompreedoo(-ah)*	
tight/loose	**apertado(-a)/largo(-a)** *ahpayrtahdoo(-ah)/lahrgoo(-ah)*	
Do you have this in size…?	**Tem isto no tamanho…?** *tayng eestoo noo tahmunnyoo*	
What size is this?	**Que tamanho é este?** *ki tahmunnyoo eh ayschi*	
Could you measure me, please?	**Poderia tirar minhas medidas, por favor?** *pohdayDeeah chiDahr meenyus mi-jeedus poor fahvohr*	
I don't know Brazilian/Portuguese sizes.	**Não conheço os tamanhos brasileiros/portugueses.** *nung-w kohnyaysoo oos tahmunnyooz brahzilayDoos/poortoogayzush*	

Size Tamanho

	Dresses/Suits						Women's shoes			
American	8	10	12	14	16	18	6	7	8	9
British	10	12	14	16	18	20	4$^{1/2}$	5$^{1/2}$	6$^{1/2}$	7$^{1/2}$
Braz./Port.	36	38	40	42	44	46	37	38	40	41

	Shirts				Men's shoes							
American / British	15	16	17	18	5	6	7	8	8$^{1/2}$	9	9$^{1/2}$	10	11
Braz./Port.	38	42	44	46	38	39	41	42	43	43	44	44	45

1 centimeter (cm.) = 0.39 in. 1 inch = 2.54 cm.
1 meter (m.) = 39.37 in. 1 foot = 30.5 cm.
10 meters = 32.81 ft. 1 yard = 0.91 m.

Health and beauty Saúde e beleza

Tipping: in Brazil, 10% is normal; in Portugal, €1–2.

I'd like a…	**Queria…** ki<u>Dee</u>ah
facial	**uma limpeza de pele** <u>oo</u>mah lim<u>pay</u>zah ji <u>pel</u>li
manicure	**fazer as unhas** fah<u>zayr</u> uz <u>oon</u>yus
massage	**uma massagem** <u>oo</u>mah mah-<u>sah</u>zhayng
waxing	**uma depilação com cera** <u>oo</u>mah daypilah-<u>sung</u>-w koong <u>say</u>Dah

Hairdresser Cabeleireiro

I'd like to make an appointment for…	**Queria marcar um horário para…** ki<u>Dee</u>ah mahr<u>kahr</u> oong oh<u>Dah</u>Dyoo <u>pah</u>Dah
I'd like a…	**Queria…** ki<u>Dee</u>ah
cut	**um corte** oong <u>kawr</u>chi
cut and blow-dry	**um corte e escova** oong <u>kawr</u>chi ee is<u>koh</u>vah
shampoo and set	**lavar e pentear** ah<u>vahr</u> i paynchi-<u>ahr</u>
trim	**acertar as pontas** ussayr<u>tahr</u> us <u>pohn</u>tus
I'd like my hair…	**Queria fazer…** ki<u>Dee</u>ah fah<u>zayr</u>
highlighted	**mechas** <u>me</u>shus
permed	**uma permanente** <u>oo</u>mah payrmah<u>nayn</u>chi
Don't cut it too short.	**Não corte muito curto.** nung-w <u>kawr</u>chi <u>mween</u>too <u>koor</u>too
A little more off the…	**Tire um pouquinho…** <u>chee</u>Di oong poh<u>kee</u>nyoo
back/front	**atrás/na frente** ah<u>trahs</u>/nah <u>frayn</u>chi
neck/sides	**no pescoço/dos lados** noo pay<u>skoh</u>-soo/dooz <u>lah</u>doos
top	**em cima** ing <u>see</u>mah
That's fine, thanks.	**Está ótimo, obrigado(-a).** is<u>tah</u> <u>aw</u>chimoo ohbrig<u>ah</u>doo(-ah)

Household articles Artigos para a casa

I'd like a(n)/some…	**Queria…** ki*Dee*ah
alumin[i]um foil	**Um rolo de papel de alumínio** oong *hoh*loo ji pah*paiw* ji ahloo*mee*nyoo
bottle opener	**um abridor de garrafas [abre-garrafas]** oong ahbri*dohr* ji gah-*hah*fus [*ah*bruh guh-*hah*fuhsh]
can [tin] opener	**um abridor de latas [abre-latas]** oong ahbri*dohr* ji *lah*tus [*ah*bruh *lah*tuhsh]
clothespins [pegs]	**prendedores de roupa** prayndayd*ohr*iz ji *hoh*pah
corkscrew	**um saca-rolhas** oong *sah*kah *hoh*lyus
cups	**xícaras [chávenas]** *shee*kahDus [*shah*vuhnush]
forks	**garfos** *gahr*foos
glasses	**copos** *kaw*poos
knives	**facas** *fah*kus
light bulb	**uma lâmpada** *oo*mah *lum*pahdah
matches	**fósforos** *faws*fohDoos
paper napkins	**guardanapos de papel** gwahrdun*nah*pooz ji pah*paiw*
plates	**pratos** *prah*toos
scissors	**uma tesoura** *oo*mah chi*zoh*Dah
spoons/teaspooons	**colheres/colheres de chá** kool*yai*Dis/kool*yai*Dis ji shah

Cleaning items Artigos de limpeza

bleach	**alvejante** owvay*zhun*chi
dishcloth	**pano de prato** *pun*noo ji *prah*too
dishwashing detergent [washing-up liquid]	**o detergente** oo daytayr*zhayn*chi
garbage bags	**sacos de lixo** *sah*kooz ji *lee*shoo
laundry soap [washing powder]	**sabão em pó** sah*bung*-w ing paw

148

Jeweler Joalharia

Could I see…? **Poderia me mostrar** *pohdayDeeah mi mohstrahr*

this/that **isto/aquilo** *eestoo/ahkeeloo*

It's in the window/ display case. **Está na vitrine.** *istah nah vitreeni*

I'd like a(n)/some… **Queria…** *kiDeeah*

alarm clock **um despertador** *ooong jispayrtahdohr*

battery **uma pilha** *oomah peelyah*

bracelet **uma pulseira** *oomah poo-sayDah*

chain **uma gargantilha** *oomah gahrguncheelyah*

clock **um relógio** *oong haylawzhyoo*

earrings **uns brincos** *oongz breenkoos*

necklace **um colar** *oong kohlahr*

ring **um anel** *oong ahnaiw*

watch **um relógio de pulso** *oong haylawzhyoo ji poossoo*

Materials Materiais

Is this real silver/gold? **Isto é ouro/prata legítimo(-a)?** *eestoo eh prahtah/ohDoo layzheechimoo(-ah)*

Is there any certification for it? **Tem garantia?** *tayng gahDuncheeah*

Do you have anything in…? **Tem alguma coisa em…?** *tayng owgoomah kohyzah ing*

copper **de cobre** *ji kawbri*

crystal **de cristal** *ji kristow*

cut glass **de vidro facetado** *ji veedroo fah-saytahdoo*

diamonds **brilhantes** *ji breelyunchis*

gold **de ouro** *ohDoo*

goldplate **dourada** *dohDahdoo*

platinum **platina** *plahcheenah*

silver **prata** *prahtah*

silverplate **folheada a prata/ouro** *fohlyahdah ah prahtah/ohDoo*

Newsstand [Newsagent]/Tobacconist
Banca de Jornal/Tabacaria

Foreign newspapers can usually be found at train stations, airports, and on newsstands in major cities.

Newsstands (**Quiosques** or **Tabacarias**) can be found inside coffeehouses, in the middle of traffic circles [roundabouts], and on street corners.

Cigarettes can be bought at newsstands, and in hotels and bars. Foreign brands are heavily taxed.

Do you sell English-language books/newspapers?	**Vende livros/jornais em inglês?** *vaynji leevrooz / zhohrnighz ing inglays*
I'd like a/some…	**Queria…** *ki<u>Dee</u>ah*
book	**um livro** *oong <u>lee</u>vroo*
candy [sweets]	**balas** *<u>bah</u>lus*
chewing gum	**uma goma de mascar (uma pastilha elástica)** *<u>oo</u>mah <u>goh</u>mah ji mah<u>skahr</u> [<u>oo</u>muh push<u>tee</u>lyuh]*
chocolate bar	**um chocolate** *oong shohkoh<u>lah</u>chi*
cigarettes (pack of)	**(um maço de) cigarros** *(oong <u>mahs</u>soo ji) sig<u>ah</u>-hoos*
dictionary	**um dicionário** *oong jissyoh<u>nah</u>Dyoo*
English–Portuguese	**inglês–português** *in<u>glays</u> pohrtoo<u>gays</u>*
envelopes	**envelopes** *aynvay<u>law</u>pis*
guidebook of…	**um guia de…** *oong <u>ghee</u>ah ji*
lighter	**um isqueiro** *oong is<u>kay</u>Doo*
magazine	**uma revista** *<u>oo</u>mah hay<u>vee</u>stah*
map of the town	**um mapa da cidade** *oong <u>mah</u>pah dah si<u>dah</u>ji*
matches	**fósforos** *<u>faws</u>fohDoos*
newspaper	**um jornal** *oong zhohr<u>now</u>*
American/English	**americano/inglês** *ahmayDee<u>ku</u>nnoo/in<u>glays</u>*
pen	**uma caneta** *<u>oo</u>mah kah<u>nay</u>tah*
postcard	**um cartão-postal** *oong kahr<u>tung-w</u> poh<u>stow</u>*
stamps	**selos** *<u>say</u>loos*

Photography Fotografia

I'm looking for…	**Estou procurando…** *istoh* proh*koo*Dun*doo*
a(n)… camera	**uma máquina fotográfica…** *oo*mah *mah*kinah fohtoh*grah*fikah
digital	**digital** jizhi*tow*
compact	**compacta** kohm*pah*kitah
disposable	**descartável** jiskahr*tah*vayw
I'd like a…	**Queria** ki*Dee*ah
battery	**uma pilha** *oo*mah *pee*lyah
electronic flash	**um flash eletrônico** oong *fle*shi aylay*troh*nikoo
filter	**um filtro** oong *feew*troo
lens	**uma objetiva** *oo*mah ohbizhay*chee*vah
lens cap	**uma tampa para a objectiva** *oo*mah *tum*pah *pah*Dah ah ohbizhay*chee*vah

Film/Processing Filme/Revelação

I'd like a… film.	**Queria um filme…** ki*Dee*ah oong *feew*mi
black and white	**preto-e-branco** *pray*too ee *brun*koo
color	**colorido** kohloh*Dee*doo
24/36 exposures	**de 24/36 poses** ji *veen*chi ee *kwah*troo/*treen*tah ee sayss *poh*zis
I'd like this film developed, please.	**Queria mandar revelar este filme, por favor.** ki*Dee*ah mun*dahr* hayvay*lahr* *ays*chi *feew*mi poor fah*vohr*
Could you enlarge this, please?	**Poderia ampliar esta foto, por favor?** pohday*Dee*ah umpli-*ahr* *ais*tah *faw*too poor fah*vohr*
How much do… exposures cost?	**Quanto custa a revelação?** *kwun*too *koos*tah… ah hayvaylahs*sung-w*
When will my photos be ready?	**Quando as fotografias estarão prontas?** *kwun*doo us fohtohgrah*fee*us istah*Dung-w* *proh*ntus

Police Polícia

To get the police in an emergency, ☎ 190 (Brazil), 112 (Portugal)
In Brazil, the first place to report a theft is to the 'tourist police'
(**polícia de turismo**), who speak English (telephone number
shown in main hotels).

Beware of pickpockets, particularly in crowded places. Report all thefts to the local police within 24 hours for your own insurance purposes.

Where's the nearest police station?	**Onde é a delegacia [esquadra] de polícia mais próxima?** ohnji eh ah daylaygah-seeah [ushkwahdruh] ji pohleesyah mighs prawssimah
Does anyone here speak English?	**Alguém aqui fala inglês?** algayng ahkee fahlah inglays
I want to report…	**Quero registrar a ocorrência de…** kaiDoo hayzhistrahr ah ohkoh-haynsyah
an accident/attack	**um acidente/um furto** oong ah-seedaynchi/oong foortoo
a mugging/rape	**um assalto/um estupro [uma violação]** oong ah-sowtoo/oong istooproo [oomuh vyohluh-sung-w]
My son/daughter is missing.	**O meu filho/a minha filha desapareceu.** oo mayw feelyoo/ah meenyah feelyah jizahpahDay-sayw
Here's a photo of him/her.	**Aqui está uma foto dele/dela.** ahkee istah oomah fawtoo dayli/dellah
I need an English-speaking lawyer.	**Preciso de um advogado que fale inglês.** prerpray-seezoo ji oong ahjivohgahdoo ki fahli inglays
I need to make a phone call.	**Preciso fazer um telefonema.** pray-seezoo fahzayr oong taylayfohnaymah

É capaz de descrevê-lo(-a)?	Can you describe him/her?
o homem/a mulher	male/female
de cabelos loiros/castanhos	blond(e)/brunette
ruivo(-a)/grisalho(-a)	red-headed/gray
com o cabelo comprido/curto/	long/short hair/
meio calvo balding	
com cerca… de altura	approximate height…
com uns… anos	aged (approximately)…
Ele/Ela estava vestindo…	He/She was wearing…

CLOTHES ➤ 144; COLOR ➤ 143

Lost property/Theft Perda/Roubo

I want to report a theft/break-in.	**Quero registrar a ocorrência de um roubo.** kaiDoo hayzhis<u>trah</u>r ah ohkoh-<u>hayn</u>syah ji oong hohboo
My car's been broken into.	**O meu carro foi furtado.** oo mayw <u>kah</u>-hoo fohy foor<u>tah</u>doo
I've been robbed/mugged.	**Fui roubado(-a)/assaltado(-a).** fooy hoh<u>bah</u>doo(-ah)/ah-sow<u>tah</u>doo(-ah)
I've lost my…	**Perdi…** pay<u>rdee</u>
My… has been stolen.	**Roubaram…** hoh<u>bah</u>Dung-w
camera	**minha máquina fotográfica** <u>mee</u>nyah <u>mah</u>kinah fohtoh<u>grah</u>fikah
(rental) car	**meu carro (alugado)** mayw <u>kah</u>-hoo (ahloo<u>gah</u>doo)
credit cards	**meus cartões de crédito** mayws kahr<u>toyng</u>z ji <u>kred</u>jitoo
handbag	**minha bolsa** <u>mee</u>nyah <u>boh</u>-sah
money	**meu dinheiro** mayw dee<u>nyay</u>Doo
passport	**meu passaporte** mayw pah-sah<u>pawr</u>chi
purse	**meu celular** mayw sayloo<u>lahr</u>
wallet	**minha carteira (de documentos)** <u>mee</u>nyah kahr<u>tay</u>Dah (ji dohkoo<u>mayn</u>toos)
watch	**meu relógio** mayw hay<u>lawzh</u>yoo
I need a police report for my insurance claim.	**Preciso de um documento para acionar o seguro.** pray-<u>see</u>zoo ji oong dohkoo<u>mayn</u>too pah<u>D</u>ah ah-syoh<u>nahr</u> oo si<u>goo</u>Doo

O que levaram?	What's missing?
Quando é que foi roubado?	When was it stolen?
Como aconteceu?	When did it happen?
Onde está hospedado?	Where are you staying?
De onde foi tirado?	Where was it taken from?
Onde estava nesse momento?	Where were you at the time?
Vamos arranjar-lhe um intérprete.	We're getting an interpreter for you.
Vamos investigar o caso.	We'll look into the matter.
Por favor, preencha este formulário.	Please fill out this form.

Post office Correios

In Brazil, post offices bear the sign ECT (**Empresa Brasileira de Correios e Telégrafos**); they are generally open 8 a.m. to 5 p.m. Monday through Friday, and till noon on Saturday. Streetcorner mailboxes are yellow.

Post offices in Portugal are indicated by CCT (**Correios e Telecomunicações**). Main offices operate until 10 p.m. and on Saturday and Sunday until 6 p.m. Red mailboxes are for **correio normal** (normal mail) and blue for **correio azul** (express mail).

General queries Perguntas gerais

Where is the nearest/main post office?	**Onde fica o correio mais próximo/central?** ohnji feekah oo koh-hayoo mighs prawssimoo/sayntrow
What time does the post office open/close?	**A que horas o correio abre/fecha?** ah ki awDuz oo koh-hayoo ahbri/faishah
Where's the mailbox [postbox]?	**Há alguma caixa de correio aqui perto?** ah owgoomah kighshah ji koh-hayoo ahkee pairtoo
Where's the general delivery [poste restante]?	**Onde fica a posta-restante?** ohnji feekah ah pawstah haystunchi
Is there any mail for me? My name is…	**Há alguma correspondência para mim? Meu nome é…** ah owgoomah koh-hayspohndaynsyah pahDah meeng? mayw nohmi eh…

Buying stamps Comprar selos

A stamp for this postcard/letter, please.	**Um selo para este postal/esta carta, por favor.** oong sayloo pahDah ayschi pohstow/aistah kahrtah poor fahvohr
A…-cent/reais stamp, please.	**Um selo de… reais, por favor.** oong sayloo ji… hay-ighs poor fahvohr
What's the postage for a postcard/letter to…?	**Quanto custa enviar um cartão-postal/uma carta para…?** kwuntoo koostah pahDah aynviahr oong kahrtung-w pohstow/oomah kahrtah pahDah

---

– Por favor, quero mandar estes postais para os Estados Unidos..
(Hello. I'd like to send these postcards to the U.S.)
– Quantos são? (How many?)
– Nove reais [euros]. (Nine, please.)
– São cinquenta centavos vezes nove: quatro reais [euros] cinquenta, por favor. (That's 50 cents times nine: 4 reais [euros] 50, please.)

Sending packages Enviar pacotes

I want to send this package [parcel] by…	**Queria mandar este pacote por…** kiDeeah mundahr ayschi pahkawchi poor
airmail	**via aérea** veeah ah-aiDyah
special delivery [express]	**Sedex (entrega rápida)** saydaiks (intraigah hahpidah)
registered mail	**encomenda registrada** inkohmayndah hayzhistrahdah
It contains…	**Contém…** kohntayng

> **Por favor preencha a declaração da alfândega.** Please fill out the customs declaration form.
> **Qual é o valor?** What is the value?
> **Qual o conteúdo?** What's inside?

Telecommunications Telecomunicações

I'd like a phone card, please.	**Queria um cartão telefônico, por favor.** kiDeeah oong kahrtung-w taylayfohneekoo poor fahvohr
10/20/50 units	**10/20/50 unidades** dais/veenchi/sinkwayntah oonidahjish
Do you have a photocopier?	**Tem fotocopiadora aqui?** tayng fohtohkohpyahdohDah ahkee
I'd like… copies.	**Queria… cópias.** kiDeeah… kawpyus
I'd like to send a message by e-mail/fax.	**Queria mandar uma mensagem por e-mail/ fax.** kiDeeah mundahr oomah maynsahzhayng poor eemayoo/fahkis
What's your e-mail address?	**Qual é o seu e-mail?** kwow eh oo sayw eemayoo
Can I access the Internet here?	**Posso ter acesso à internet aqui?** pawssoo tayr ah-sessoo ah eentayrnaichi dahkee
What are the charges per hour?	**Qual o custo por hora?** kwow eh oo koostoo poor awDah
How do I log on?	**Como posso obter acesso?** kohmoo pawssoo ohbitayr ah-sessoo

Souvenirs Lembranças

Popular Brazilian souvenirs include antique furniture (**mobiliário antigo**), baskets (**cestos**), coffee (**café**), dresses (**vestidos**), dolls with regional costumes (**bonecas em trajes típicos**), embroidery (**bordados**), gemstones (**pedras semipreciosas**), hammocks (**redes**), Indian crafts (**artesanato indígena**), bow and arrow (**arco e flexa**), jacaranda-wood salad bowls and trays (**tigelas e travessas de jacarandá**), pictures (**quadros**), religious objects (**artigos religiosos**), silverware (**artigos de prata**), soapstone goods (**artigos em pedra-sabão**), statues (**estatuetas**), tapestry (**tapeçaria**), woodprints (**xilogravuras**).

Afro-Brazilian craft music instruments provide alternative ideas as presents: **berimbau** (stretched metal strip, played with a stick), **bongô** (bongo drums), **atabaque** (larger than the bongo with a single drum).

Typical local souvenirs Lembranças regionais

Souvenirs you might want to take home from Portugal include pottery (**cerâmica**), leather goods (**artigos de couro**), tiles (**azulejos**), copperware (**artigos de cobre**), especially the famous **cataplana**. Wooden painted cocks (**galos de Barcelos**) are a national symbol going back to an ancient legend. And don't forget some of the famous Portuguese port wine (**vinho do Porto**) or the various regional sweet brandies.

Gifts Presentes

bottle of wine	**uma garrafa de vinho**	_oomah gah-hahfah ji veenyoo_
box of chocolates	**uma caixa de chocolates**	_oomah kighshah ji shohkohlahchis_
calendar	**um calendário**	_oong kahlayndahDyoo_
key ring	**um chaveiro**	_oong shahvayDoo_
postcards	**postais**	_pohstighs_
scarf	**um lenço**	_oong laynsoo_
souvenir guide	**o guia turístico**	_oo gheeah tooDeeschikoo_
dish cloth	**uma toalha de renda**	_oomah tooahlyah ji hayndah_
T-shirt	**uma camiseta**	_oomah kahmeezaytah_

Music A música

I'd like a… **Queria…** *kiDeeah*

cassette **um DVD** *oong day-vay-day*

compact disc **um CD** *oong say-day*

videocassette **uma fita de vídeo** *oomah feetah ji veejoo*

Who are the popular native singers/bands? **Quem são os cantores/os conjuntos populares nacionais?** *kayng sung-w oos kuntohDis/oos kohnzhoontoos pohpoolahDiz nahsyohnighs*

Toys and games Brinquedos e jogos

I'd like a toy/game… **Queria um brinquedo/um jogo…** *kiDeeah oong brinkaydoo/oong zhohgoo*

for a boy **para um garoto** *pahDah oong gahDohtoo*

for a 5-year-old girl **para uma menina de cinco anos** *pahDah oomah mineenah ji seenkoo unnoos*

chess set **um jogo de xadrez** *oong zhohgoo ji shahdrays*

doll/electronic game **uma boneca/um jogo eletrônico** *oomah boonekkah/oong zhohgoo aylaytrohnikoo*

pail and shovel [bucket and spade] **um balde e uma pá** *oong bowjee ee oomah pah*

teddy bear **um urso de pelúcia** *oong oorsoo ji payloosyah*

Antiques Antiguidades

How old is this? **Qual é a data disto?** *kwow eh ah dahtah jeestoo*

Do you have anything from the… era? **Tem alguma coisa do período…?** *tayng owgoomah kohyzah doo payDeeohdoo*

Can you send it to me? **Pode mandar para mim?** *pawji mundahr pahDah meeng*

Will I have problems with customs? **Vou ter problemas com a alfândega?** *voh tayr prohblaymush koong ah owfundaygah*

Is there a certificate of authenticity? **Acompanha um certificado?** *ahkohmpunnyah oong sayrcheefeekahdoo*

Supermarket Supermercado

Regional chains operate in Brazilian states. Some accept credit cards. Shopping centers stay open until late at night, including Saturdays and Sundays. Large shopping centers like **Amoreiras** (Lisbon), **Brasília** and **Gaishopping** (Porto) are flourishing in Portugal.

At the supermarket No supermercado

Excuse me. Where can I find…?	**Desculpe. Onde posso encontrar…?** dis<u>koo</u>pi. <u>ohnj</u>i <u>paw</u>ssoo inkohn<u>trahr</u>
Do you sell…?	**Aqui vende…?** ah<u>kee</u> <u>vayn</u>ji
Where are the carts [trolleys]/baskets?	**Onde ficam os carrinhos/os cestos?** <u>ohnj</u>i <u>fee</u>kung-w oos kah-<u>hee</u>nyoos/<u>says</u>toos
Is there a… here?	**Aqui há…?** ah<u>kee</u> ah
delicatessen	**açougue** ah-<u>sohgh</u>i
pharmacy	**farmácia** fahr<u>mah</u>-syah
bakery	**padaria** pahdah-<u>Dee</u>ah
fish counter	**banca de peixe** <u>bun</u>kah ji <u>pay</u>shi

PÃO E BOLOS	bread and cakes
PRODUTOS DE LIMPEZA	cleaning products
LACTICÍNIOS	dairy products
PEIXE FRESCO	fresh fish
CARNE FRESCA	fresh meat
FRUTAS E LEGUMES	fruit and vegetables
COMIDA CONGELADA	frozen foods
ARTIGOS PARA A CASA	household goods
PRODUTOS PARA ANIMAIS	poultry
VINHOS E BEBIDAS	wines and spirits

Weights and measures

- **1 kilogram** or **kilo (kg.)** = **1000 grams (g.)**; **100 g.** = 3.5 oz.; **1 kg.** = 2.2 lb; 1 oz. = **28.35 g.**; 1 lb. = **453.60 g.**
- **1 liter (l.)** = 0.88 imp. quart or 1.06 U.S. quart; 1 imp.quart = **1.14 l.**; 1 U.S. quart = **0.951 l.**; 1 imp. galllon = **4.55 l.**; 1 U.S. gallon = **3.8 l.**

Food hygiene Indicações na embalagem

VÁLIDO ATÉ…	display until…
DEPOIS DE ABERTO, CONSUMIR EM ATÉ… DIAS	eat within… days of opening
MANTER REFRIGERADO	keep refrigerated
PODE IR AO MICROONDAS	microwaveable
CONSUMIR AQUECIDO	reheat before eating
DATA DE FABRICAÇÃO	sell by…
PRÓPRIO PARA VEGETARIANOS	suitable for vegetarians
CONSUMIR ATÉ…	use by…

At the minimart No mercadinho

I'd like some of that/those.	**Queria um deste/daquele.** *kiDeeah oong dayschi/dahkayli*
That's all, thanks.	**É só, obrigado(-a).** *eh saw, ohbrigahdoo(-ah)*
I'd like a(n)/some…	**Queria…** *kiDeeah*
kilo of apples	**um quilo de maçã** *oong keeloo ji mah-sungs*
half-kilo of tomatoes	**meio quilo de tomate** *mayoo keeloo ji tohmahchis*
100 grams of cheese	**100 gramas de queijo** *sayng grummus ji kayzhoo*
liter of milk	**um litro de leite** *oong leetroo ji laychi*
half-dozen eggs	**meia dúzia de ovos** *mayah doozyah ji awvoos*
slices of ham	**algumas fatias de presunto** *owgoomus fahcheeuz ji prayzoontoo*
bottle of wine	**uma garrafa de vinho** *oomah gah-hahfah ji veenyoo*
carton of milk	**uma caixa de leite** *oomah kigh-shah ji laychi*
jar of jam	**um pote de doce** *oong pawchi ji doh-si*
can of cola	**uma lata de refrigerante** *oomah lahtah ji hayfrizhayDunchi*

– Quero meio quilo desse queijo, por favor.
(I'd like half a kilo of that cheese, please.)
– Este? (This one?)
– Sim, esse, por favor.
(Yes, that one, please.)
– Pois não. É só?
(Certainly. Anything else?)
– E quatro fatias de presunto, por favor.
(And four slices of ham, please.)
– Aqui está. (Here you are.)

Provisions/Picnic Víveres/Piquenique

apples	**maçãs** mah-_sungs_
butter	**manteiga** mun_taygah_
cheese	**queijo** _kayzhoo_
cold meats	**frios** _freeoos_
cookies [biscuits]	**bolacha** bohl_ah_shah
eggs	**ovos** _aw_voos
grapes	**uvas** _oo_vus
ice cream	**sorvete** sohr_vay_chi
instant coffee	**café instantâneo** kah_feh_ instun_tun_nyoo
loaf of bread	**pão** pung-w
margarine	**margarina** mahrgah_Dee_nah
milk	**leite** _lay_chi
mustard	**mostarda** moh_stahr_dah
oranges	**laranjas** lah_Dun_zhus
rolls	**pãezinhos** pung-y-_zeen_yoos
sausages	**salsichas** sow-_see_shus
six-pack of beer	**cervejas** sayr_vay_zhah
soft drink	**refrigerante** hayfrizhay_Dun_chi
sugar	**açúcar** ah-_soo_kahr
winebox	**vinho** _vee_nyoo
yogurt	**iogurte** yoh_goor_chi

VEGETABLES/FRUIT ➤ 47

Health

Doctor (general)	161	Gynecologist	167
Accident and injury	162	Hospital	167
Symptoms/		Optician	167
Conditions	163	Dentist	168
Doctor's inquiries	164	Payment and	
Parts of the body	166	insurance	168

Before you leave home, make sure your health insurance policy covers any illness or accident while you are abroad. If not, ask your insurance representative or travel agent for details of special health insurance.

If you need to see a doctor, you'll probably have to pay the bill on the spot; save all receipts for reimbursement. Main hotels and tourist offices in Portugal and Brazil have a list of English-speaking doctors. In Brazil, you will only be hospitalized free of charge if you catch an infectious disease. In Portugal, EU citizens with a Form E111 are eligible for free medical treatment. This only applies to clinics that belong or are connected to the national health service.

Doctor (general) Médico (generalidades)

Where can I find a doctor/dentist?	**Onde posso encontrar um médico/um dentista?** _ohnji pawssoo inkohntrahr oong medjikoo/oong dayncheestah_
Where's there a doctor who speaks English?	**Onde há um médico que fale inglês?** _ohnji ah oong medjikoo ki fahli inglays_
What are the office [surgery] hours?	**Para que horas há consulta?** _pahDah ki awDuz ah kohnsootah_
Could the doctor come to see me here?	**O médico poderia vir aqui me ver?** _oo medjikoo pohdayDeeah veer ahkee mi vayr_
Can I make an appointment for…?	**Queria marcar uma consulta para…** _kiDeeah mahrkahr oomah kohnsootah pahDah_
tomorrow	**amanhã** _ah-munnyung_
as soon as possible	**o mais cedo possível** _oo mighs saydoo poosseevayw_
I've got an appointment with Doctor…	**Tenho consulta marcada com o dr.…** _taynyoo kohnsootah mahrkahdah koong oo dohtohr_

TIME ➤ 220; DATES ➤ 218

– Quero marcar uma consulta para
o mais breve possível.
(I'd like to make an appointment for
as soon as possible.)
– É urgente? (Is it urgent?)
– Sim. (Yes.)
– Bem, posso lhe arranjar uma consulta para
amanhã às dez e quinze com o dr. Martin.
(Right, I can fit you in to see dr. Martin at 10:15 tomorrow morning.)
– 10:15 está bom. Muito obrigado. (10:15. Thank you.)

Accident and injury Acidente e ferimento

My… is hurt.	**A minha… está ferida.** ah _meenyah_… is_tah_ fay_Deedah_
wife/daughter/friend *(female)*	**mulher/filha/amiga** moolyair/_feelyah_/ah_meegah_
My… is hurt.	**O meu… está ferido.** oo mayw… is_tah_ fay_Deedoo_
husband/son/baby	**marido/filho** mah_Deedoo_/_feelyoo_
friend *(male)*	**amigo** um_meegoo_
He/She is…	**Ele/Ela está…** _ayli_/_ellah_ is_tah_
bleeding	**sangrando** sungrundoo
(seriously) injured	**(gravemente) ferido(-a)** (grahvi_mayn_chi) fay_Deedoo_(-ah)
unconscious	**inconsciente** eenkohn_syayn_chi
I have a(n)…	**Tenho…** _taynyoo_
blister/boil	**uma bolha/um furúnculo** _oo_mah _bohlyah_/oong foo_Doon_kooloo
bruise	**uma luxação** _oo_mah looshah-_sung-w_
burn	**uma queimadura** _oo_mah kaymah_doo_Dah
cut	**um corte** oong _kawr_chi
insect bite	**uma picada de inseto** _oo_mah pee_kah_dah ji in_set_too
lump	**um caroço** oong kah_Doh_-soo
rash	**uma erupção cutânea** _oo_mah ay_Doo_pi-_sung-w_ koo_tun_nyah
sprained muscle	**uma distensão muscular** _oo_mah jeestayn-_sung-w_ mooskoo_lahr_

PARTS OF THE BODY ➤ 166

Symptoms Sintomas

I've been feeling ill for… days.	**Há… dias me sinto doente.** *ah… jeeush mi seentoo dooaynchi*
I feel…	**Sinto…** *seentoo*
faint	**que vou desmaiar** *ki voh jizmigh-ahr*
feverish/shivery	**febre/ arrepios** *faibri/ah-haypeeoos*
I've been vomiting.	**Tenho vomitado.** *taynyoo vohmeetahdoo*
I have diarrhea.	**Estou com diarréia.** *istoh koong jah-haiyah*
My… hurts.	**Dói o…** *doy oo*
It hurts here.	**Dói aqui.** *doy ahkee*
I have (a/an)…	**Estou com…** *istoh koong*
backache	**dor nas costas** *dohr nus kawstus*
cold	**resfriado** *haysfri-ahdoo*
cramps	**cólicas** *kollikus*
earache/headache	**dor de ouvidos/cabeça** *dohr ji ohveedoos/kahbay-sah*
sore throat	**dor de garganta** *dohr ji gahrguntah*
stiff neck	**torcicolo** *tohrsikolloo*
stomachache	**dor de estômago** *dohr ji istohmahgoo*
I have sunstroke.	**Apanhei uma insolação.** *ahpunnyay oomah insohlah-sung-w*

Health conditions Condições de saúde

I'm…	**Sou…** *soh…*
deaf/diabetic	**surdo/diabético** *soordoo/jeeahbetchikoo*
epileptic/handicapped	**epiléptico/deficiente** *aypiletchikoo/dayfeesyaynchi*
I have…	**Tenho…** *taynyoo*
arthritis/asthma/high blood pressure	**artrite/asma/pressão alta** *ahrtreechi/ahzmah/pray-sung-w owtah*
I'm (… months) pregnant.	**Estou grávida (de… meses).** *istoh grahvidah (ji… mayzis)*
I had a heart attack … years ago.	**Tive um ataque de coração há… anos.** *cheevi oong ahtahki doo kohDah-sung-w ah… unnoos*

Doctor's inquiries Questionário do médico

Há quanto tempo se sente assim?	How long have you been feeling like this?
É a primeira vez que tem isso?	Is this the first time you've had this?
Está tomando outros remédios?	Are you taking any other medication?
É alérgico a alguma coisa?	Are you allergic to anything?
Está vacinado contra o tétano?	Have you been vaccinated against tetanus?
Tem apetite?	Is your appetite okay?

Examination O exame

Vou medir sua temperatura/ a tensão arterial.	I'll take your temperature/ blood pressure.
Puxe a manga, por favor.	Roll up your sleeve, please.
Dispa-se da cintura para cima, por favor.	Please undress to the waist.
Deite-se, por favor.	Please lie down.
Abra a boca.	Open your mouth.
Respire fundo.	Breathe deeply.
Tussa, por favor.	Cough, please.
Onde dói?	Where does it hurt?
Dói aqui?	Does it hurt here?

Diagnosis Diagnóstico

Quero que tire uma radiografia.	I want you to have an x-ray.
Quero um exame de sangue/ de fezes/de urina.	I want a specimen of your blood/stool/urine.
Quero que consulte um especialista.	I want you to see a specialist.
Quero que vá para o hospital.	I want you to go to the hospital.
Está quebrado/ deslocado.	It's broken/dislocated.
Tem uma ruptura	It's torn.

Está com…	You have (a/an)…
apendicite	appendicitis
cistite	cystitis
gripe	flu
intoxicação alimentar	food poisoning
uma fratura	fracture
gastrite	gastritis
uma hérnia	hernia
inflamação de…	inflammation of…
sarampo	measles
pneumonia	pneumonia
dor ciática	sciatica
amigdalite	tonsilitis
um tumor	tumor
uma doença venérea	venereal disease
uma infecção.	It's infected.
É contagioso.	It's contagious.

Treatment Tratamento

Vou dar-lhe…	I'll give you…
um antisséptico/um analgésico	an antiseptic/a pain killer
Vou receitar…	I'm going to prescribe…
uma dose de antibióticos	a course of antibiotics
supositórios	some suppositories
É alérgico a algum remédio?	Are you allergic to any medication?
Tome…	Take…
um comprimido…	one pill…
de 2 em 2 horas	every two hours
… vezes ao dia	…times a day
antes/depois de cada refeição	before/after each meal
de manhã/à noite	in the morning/at night
em caso de dor	in case of pain
durante… dias	for… days
Gostaria que voltasse daqui a… dias.	I'd like you to come back in… days.
Consulte um médico quando chegar em casa.	Consult a doctor when you get home.

Parts of the body Partes do corpo

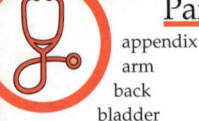

appendix	o apêndice	oo ah<u>pay</u>njissi
arm	o braço	oo <u>brah</u>-soo
back	as costas	us <u>kaws</u>tus
bladder	a bexiga	ah bi<u>shee</u>gah
bone	o osso	oo <u>oh</u>-soo
breast	a mama	ah <u>mum</u>mah
chest	o peito	oo <u>pay</u>too
ear	o ouvido	oo oh<u>vee</u>doo
eye	o olho	oo <u>ohl</u>yoo
face	o rosto	oo <u>hohs</u>too
finger	o dedo	oo <u>day</u>doo
foot	o pé	oo peh
gland	a glândula	ah <u>glun</u>doolah
hand	a mão	ah mung-w
head	a cabeça	ah kah<u>bay</u>-sah
heart	o coração	oo kohDah-<u>sung</u>-w
jaw	o maxilar	oo mahkisi<u>lahr</u>
joint	a articulação	ah ahrchikoolah-<u>sung</u>-w
kidney	o rim	oo heeng
knee	o joelho	oo zhoo<u>ayl</u>yoo
leg	a perna	ah <u>pair</u>nah
lip	o lábio	oo <u>lah</u>byoo
liver	o fígado	oo <u>fee</u>gahdoo
mouth	a boca	ah <u>boh</u>kah
muscle	o músculo	oo <u>moos</u>kooloo
neck	o pescoço	oo pays<u>koh</u>-soo
nerve	o nervo	oo <u>nayr</u>voo
nose	o nariz	oo nah<u>Dees</u>
rib	a costela	ah koh<u>stel</u>lah
shoulder	o ombro	oo <u>ohm</u>broo
skin	a pele	ah <u>pel</u>li
stomach	o estômago	oo i<u>stoh</u>mahgoo
thigh	a coxa	ah <u>koh</u>-shah
throat	a garganta	ah gahr<u>gun</u>tah
thumb	o polegar	oo pohlay<u>gahr</u>
toe	o dedo do pé	oo <u>day</u>doo doo peh
tongue	a língua	ah <u>leeng</u>wah
tonsils	as amígdalas	uz um<u>mee</u>dahlus

Gynecologist Ginecologista

I have…	**Tenho…** *taynyoo*
abdominal pains	**dores abdominais** <u>doh</u>Diz ahbidoh<u>min</u>ighs
period pains	**cólicas menstruais** <u>kaw</u>likus maynstroo<u>igh</u>s
a vaginal infection	**uma infecção vaginal** <u>oo</u>mah infayki-<u>sung</u>-w vahzhi<u>now</u>
I'm on the Pill.	**Tomo pílula anticoncepcional.** <u>toh</u>moo <u>pee</u>loolah unchikohnsaypsioh<u>now</u>

Hospital Hospital

Please notify my family.	**Por favor informe a minha família.** poor fah<u>vohr</u> in<u>fawr</u>mi ah <u>mee</u>nyah fah<u>mee</u>lyah
What are the visiting hours?	**Qual o horário de visita?** kwow oo oh<u>Dah</u>Dyoo ji vi<u>zee</u>tah
I'm in pain.	**Estou com dores.** is<u>toh</u> koong <u>doh</u>Dis
I can't eat/sleep.	**Não consigo comer/dormir.** nung-w kohn<u>see</u>goo koh<u>mayr</u>/door<u>meer</u>
When will the doctor come?	**A que horas vem o médico?** ah ki <u>aw</u>Duz vayng oo <u>med</u>jikoo
Which section [ward] is… in?	**Em que enfermaria está…?** ayng ki infayrmah<u>Dee</u>ah is<u>tah</u>

Optician Oftalmologista

I'm near- [short-] sighted/ far- [long-] sighted.	**Tenho vista cansada.** <u>tay</u>nyoo <u>vees</u>tah kun<u>sah</u>dah
I've lost…	**Perdi…** payr<u>dee</u>
one of my contact lenses	**uma das minhas lentes de contato** <u>oo</u>mah duz <u>mee</u>nyuz <u>layn</u>chis ji kohn<u>tah</u>too
my glasses	**os óculos** ooz <u>aw</u>kooloos
Could you give me a replacement?	**Poderia arranjar-me outro(-a)?** pohday<u>Dee</u>ah mi ah-hun<u>zhahr</u> <u>oh</u>troo(-ah)

Dentist Dentista

If you need to see a dentist, you'll probably have to pay the bill on the spot; save all receipts for reimbursement.

I have (a) toothache.	**Estou com dor de dente.**
	istoh koong dohr ji daynchi
This tooth hurts.	**Este dente está doendo.**
	ayschi daynchi istah dooayndoo
I don't want it extracted.	**Não quero que o extraia.**
	nung-w kaiDoo ki oo istrigh-ah
I've lost a filling.	**Caiu uma obturação.**
	kah-eew oomah ohbitooDah-sung-w
Can you repair this denture?	**Pode consertar esta dentadura?**
	pawji kohnsayrtahr aistah dayntahdooDah

Vou lhe dar uma injeção/ uma anestesia local.	I'm going to give you an injection/ a local anesthetic.
Precisa de uma obturação/ uma coroa.	You need a filling/cap (crown).
Vou ter de extraí-lo.	I'll have to take it out.
Só posso fazer um conserto provisório.	I can only fix it temporarily.
Volte dentro de… dias.	Come back in… days.
Não coma nada durante… horas.	Don't eat anything for… hours.

Payment and insurance Pagamento e seguro

How much do I owe you?	**Quanto lhe devo?** *kwantoo lyer dayvoo*
I have insurance.	**Tenho seguro-saúde.** *taynyoo saygooDoo sah-ooji*
Can I have a receipt for my health insurance?	**Poderia me dar um recibo para o seguro-saúde?** *pohdayDeeah mi dahr oong hay-seeboo pahDah oo saygooDoo sah-ooji*
Would you fill out this health insurance form?	**Pode preencher o formulário do seguro-saúde?** *pawji pray-aynshayr oo fohrmoolahDyoo do saygooDoo sah-ooji*
Can I have a medical certificate?	**Poderia me fornecer um atestado médico?** *pohdayDeeah mi fohrnay-sayr oong ahtaystahdoo medjikoo*

MAKING APPOINTMENTS ➤ 161

Dictionary
English–Portuguese A-Z

Most terms in this dictionary are either followed by an example or cross-referenced to pages where the word appears in a phrase. In addition, the notes below provide some basic grammar guidelines.

Nouns

Nouns are either masculine (m) or feminine (f). Normally, nouns that end in a vowel add **-s** to form the plural (pl). The articles they take (a, an, the, some) depend on their gender:

masculine	**o trem**	the train	*feminine*	**a casa**	the house
	um trem	a train		**uma casa**	a house
	os trens	the trains		**as casas**	the houses
	uns trens	some trains		**umas casas**	some houses

Nouns that end in a consonant vary in the plural. For those that end in **r** or **s**, add **-es**; for those ending in **l**, take off the **l** and add **-is**; for those ending in **m**, take off the **m** and add **-ns**:

cor	color	**cores**	colors
canal	canal	**canais**	canals
fim	end	**fins**	ends

Adjectives

Adjectives agree in gender and number with the noun they describe. In this dictionary the feminine form (where it differs from the masculine) is shown in brackets, e.g.

small **pequeno(-a)** = *masculine form* **pequeno**, *feminine form* **pequena**

If the masculine form ends in **-e** or with a consonant, the feminine usually keeps the same form:

o mar (m) **azul**   the blue sea   **a flor** (m) **azul**   the blue flower

Verbs

Verbs are generally shown in the infinitive (to say, to eat, etc.) Here are three of the main categories of regular verbs in the present tense:

	falar (to speak)	**comer** (to eat)	**cobrir** (to cover)
	ends in **-ar**	ends in **-er**	ends in **-ir**
eu	falo	como	cubro
tu	falas	comes	cobres
ele/ela	fala	come	cobre
nós	falamos	comemos	cobrimos
vós	falais	comeis	cobris
eles/elas	falam	comem	cobrem

Negatives are generally formed by putting **não** before the verb:

É novo.   It's new.   **Não é novo.**   It's not new.

ENGLISH ➤ PORTUGUESE

A-Z

A

a few alguns (algumas) 15
a little um pouco 15
a lot muito 15
a.m. da manhã
abbey abadia f
able, to be (*also* ➤ *can, could*) ser capaz
about (*approximately*) cerca de
above (*place*) acima/por cima de
abroad no estrangeiro
abscess abscesso m
accept, to aceitar 136; **do you accept …?** aceitam …?
access acesso m 100
accessories acessórios mpl
accident (*road*) desastre [acidente] m 92; 152
accidentally sem querer 28
accommodations acomodação [alojamento] m
accompaniments acompanhamentos mpl 38
accompany, to acompanhar
accountant contabilista, contador m
ace (*cards*) ás m
activities atividades fpl
acne acne m
across do outro lado
acrylic acrílico(-a)
actor/actress ator m/atriz f 110
adaptor adaptador m
address endereço m 84, 93, 126
adhesive bandage curativo m adesivo [band-aid] 141
adjoining room quarto m contíguo [conjugado] 22
admission charge entrada f/ingresso/bilhete m 114
adult (*noun/adj.*) o/adulto(-a) 81, 100
advance, in antecipadamente 21
aerial (*car/TV*) antena f
aerobics aeróbica f
after (*time*) depois de; (*place*) 95
aftershave loção f pós-barba 142
age: what age? que idade?
aged, to be com… anos 152
ago há 13
agree: I agree concordo
air conditioning ar m condicionado 22, 25
air mattress colchão m de ar 31
air pump bomba f de ar 87
air-freshener purificador m de ar
airline companhia f de aviação
airmail via f aérea 155
airport aeroporto m 96
aisle seat lugar m no corredor 74
alarm clock despertador m 149
alcoholic drink bebida f alcoólica
all: I like all these gosto de todos estes;
 I like it all gosto de tudo
allergic, to be ser alérgico 164
allergy alergia f
allowance que é permitido 67
allowed: is it allowed? é permitido?
almost quase
alone só
alphabet alfabeto m
already já 28
also também 19
alter, to modificar 137
alumin[i]um foil papel m de alumínio 148
always sempre 13
am: I am here (eu) estou aqui (*temporary situation*); **I am a man** (eu) sou um homem (*permanent situation*)
ambassador embaixador m
amber (*light*) amarelo
ambulance ambulância f 92
American (*noun/adj.*) americano(-a) 150;
 ~ football futebol m americano
amusement arcade salão m de jogos 113
anesthetic anestésico m
anchor, to ancorar
anchorage ancoradouro m
and e 19
angling pesca f com linha
Angola Angola
announcement: what was that announcement? o que anunciaram?
another outro(-a) 21, 125
antibiotic antibiótico m

ENGLISH ➤ PORTUGUESE

antifreeze anticongelante m
antique antiguidade f 157; **~ shop** antiquário m 130
antiseptic cream pomada f antisséptica 141
any algum(a)
anyone else mais alguém 93
anyone: does anyone speak English? há alguém que fale inglês?
anything cheaper algo mais barato 21
anything else? mais alguma coisa?
apartment apartamento m 28
apologies desculpas 10
apologize: I apologize peço desculpa
apology desculpa f
apple maçã f 160
appointment, to make an marcar um horário 147
approximately aproximadamente
archery atirar setas com arco
architect arquiteto(-a) 104
architecture arquitetura f
are you...? *(formal)* o senhor é...?; *(informal)* você é...?
area área f
area code código m de área 127
Argentina Argentina f
armbands *(swimming)* braçadeiras fpl
around *(time)* cerca de 13; *(place)* à volta de
arrange: can you arrange it? pode arrumar isso?
arrest, to be under estar preso
arrive, to chegar 68, 70, 71, 76
art arte f
art gallery galeria f de arte 99
artificial sweetener adoçante m 38
artist artista m/f 104
as soon as possible o mais cedo possível
ashore, to go ir para terra
ashtray cinzeiro m 39
ask: please ask her to call me back peça-lhe por favor que me telefone de volta
I asked for... pedi... 41
asleep, to be estar adormecido
aspirin aspirina f 141

at *(place)* em 12; *(time)* às 13
at least pelo menos 23
athletics atletismo m 114
ATM (automated teller machine) caixa eletrônico m 139
attack *(assault/medical)* ataque m 152, 163
attendant empregado(-a)
attractive atraente
aunt tia f 120
Australia Austrália f 119
Australian *(noun)* australiano(-a)
authentic: is it? é autêntico?
authenticity autenticidade f 157
automatic *(car)* hidramático(-a) 86; *(camera)* 151
avalanche avalanche f
away longe 12
awful horrível

B **baby** bebê m/f 39, 142, 162; **~ food** comida f de bebê 142; **~ products** produtos para o bebê; **~ seat** cadeira f de bebê; **~sitter** baby-sitter [babá] f 113; **~ wipes** lenços umedecidos mpl para limpeza do bebê 142
baby's bottle mamadeira f
backpacking turismo m de mochileiro
bad mau (má) 14
baked assado 52
bakery padaria f 130, 158
balcony varanda f 29; *(theater)* balcão m
ball bola f
ballet balé m 108, 111
ballroom salão m de baile
banana banana f
band *(musical)* grupo m/ banda f 111; conjunto m 157
bandage atadura f 141
bank banco m 130; 138; **~ account** conta f bancária; **~ card** cartão m de banco 139
bar bar m 26, 112

ENGLISH ➤ PORTUGUESE

A-Z

barber barbeiro m
barge (longboat) barcaça f
baseball beisebol m
basement subsolo m 132
basin bacia
basket cesto m 158
basketball basquetebol m 114
bath banho m
bath: to take a tomar banho
bath towel toalha f de banho
bathing hut barraca f
bathroom banheiro mpl 26, 29
battery pilha f 137, 149, 151; (car) bateria f 88
battle site campo m de batalha 99
be able, to poder/ser capaz de
be back, to voltar
be, to (also ↘ **am, are**) ser; (temporary state) estar; (situated) ficar
beach praia f 116
beard barba f
beautician instituto m de beleza
beautiful bonito(-a) 14; lindo(-a) 101; lindo(-a)/maravilhoso(-a)
because porque 15; **~ of** por causa de 15
bed cama f 21; **~ and breakfast** pernoite e café da manhã 24; **I'm going to ~** vou para a cama
bedding roupa de cama 29
bedroom quarto m de dormir 29
bee abelha f
beer cerveja f 40, 49
before (time) antes de 13, 221
bege bege 143
begin, to (also ↘ **start**) começar
beginner o/principiante m/f
beginning começo m
belong: this belongs to me isto me pertence
below 15°C abaixo de 15°C
belt cinto m 144
beneath por baixo de
berth beliche m 74, 77
best melhor
better melhor 14
between entre
bib babador m

bicycle (also ↘ **cycle**) bicicleta f 83; **~ rental** aluguel m de bicicletas 83; **~ parts** 82
bidet bidê m
big grande 14, 134
bigger maior 24
bikini biquíni m 144
bin liner saco m para lixo
binoculars binóculo m
biscuits biscoitos mpl
bishop (chess) bispo m
bite (insect) picada f (de inseto)
bitten: I've been bitten by a dog fui mordido por um cão
bitter azedo(-a) 41
bizarre estranho(-a) 101
black preto m 143
black and white film (camera) filme m preto-e-branco 151
black coffee cafezinho m 40
blanket cobertor m 27
bleach alvejante m 148
bleeding, to be estar sangrando 92, 162
bless you te abençoe
blind (window) cortina f 25
blocked, to be estar entupido(-a) 25; bloqueado(-a); **the drain is ~** o cano m (do esgoto) está entupido; **the road is ~** a estrada f está bloqueada
blood group grupo m sanguíneo
blouse blusa f 144
blow-dry escova f 147
blue azul 143
blush (rouge) ruge m
board, on bordo
boarding (plane) a bordo
boarding pass cartão m de embarque
boat barco m 81; **~ trip** passeio m de barco 81
boiled cozido 52
book livro m 150
book, to reservar
booked, to be não há vagas/está superlotado 115
booking reserva f
booking office bilheteria f
book of tickets bilhetes mpl 79; talão m de bilhetes

bookmaker agenciador m de apostas
bookstore livraria f 130
boots botas fpl 115, 145
border (country) fronteira f
boring aborrecido(-a) 101
born: I was born in nasci em
borrow: may I borrow…? Posso lhe pedir emprestado…?
botanical garden jardim m botânico 99
botany botânica f
bother: sorry for the bother desculpe-me o incômodo
bottle garrafa f 37, 159; **~ opener** abridor de garrafas m 148
bottle of wine garrafa f de vinho 156
bow (ship) proa f
box of chocolates caixa f de chocolates 156
box office bilheteria f
boxing boxe m
boy rapaz m 120, 157
boyfriend namorado 120
bra sutiã f 144
bracelet pulseira f 149
brake freio m 90
brass latão m
Brazil Brasil m 119
Brazilian (n) brasileiro(-a)
bread pão 38
break, to (trip) interromper
breakdown: we've broken down quebramos 28
break, to quebrar 28
break-in assalto m
breakage quebra f
breakdown a(s) avaria(s) f 88; **to have a ~** seu carro quebrou/ ter uma avaria 88
breakfast café da manhã m 26, 27
breathe, to respirar 92, 164
breathtaking espantoso(-a) 101
bridge ponte f 107; (cards) bridge m
briefcase pasta f
briefs calcinhas fpl 144
brilliant brilhante 101
bring, to trazer
Britain Grã-Bretanha f 119

British (noun/adj.) britânico(-a)
brochure folheto m
broken, to be estar partido(-a) 25, 137, 164
bronze (adj.) de bronze
brooch broche m 149
broom vassoura f
brother irmão 120
brown castanho 143
browse, to estar vendo 133
brush escova f
bubble bath banho m de espuma
bucket (pail) balde m 157
buffet car vagão-restaurante m
build, to construir 104
building edifício m
built construído 104
bureau de change câmbio m 138
burger hambúrguer m 40; **~ stand** casa f de hambúrgueres 35
burglary (also ✎ **theft**) roubo m
burnt, to be (food) estar queimado; **it's burned** está queimado
bus ônibus m 70, 78, 79; (longdistance) **~ route** rota f de ônibus; **~ station** terminal m de ônibus 78; **~ stop** parada f de ônibus 65, 96
business: on ~ a negócios 66; **~ class** (em) navigator/business 68; **~ trip** viagem f de negócios 123; **~man** homem m de negócios; **~ woman** mulher f de negócios
busy, to be (occupied) estar ocupado(-a) 125
but mas 19
butane gas gás m butano 31
butcher shop açougue m 130
butter manteiga f 38, 160
button botão m
buy, to comprar 80
by (time) até 13; **~ car** de carro 17, 94; **~ credit card** com cartão de crédito 17
bye! adeus!
bypass desvio m

ENGLISH ➤ PORTUGUESE

A-Z

C

cabana barraca f
cabin cabina f, camarote m 81
cable car funicular m
café café m 35, 40
cake bolo m 40; **cake shop** confeitaria f
calendar calendário m 156
call: **last call** *(boarding)* última chamada
call, to chamar 92, 128; ligar 128; telefonar 127; **I'll ~ back**. eu telefono de volta; **~ for someone** ir buscar alguém 125; **I'll ~ round** dou um pulo; **call collect, to** chamada f a a cobrar [paga pelo destinatário] 127; **~ the police!** chame a polícia! 92, 224;
camcorder câmera f de vídeo
camel hair pêlo m de camelo
camera máquina f fotográfica 151, 153; **~ case** estojo m para a máquina; **~ store** loja f de artigos fotográficos 130
campbed colchão m de camping/cama f portátil 31
camping camping 30; **~ equipment** material m de camping 31
campsite área m de camping 30
can lata f 159; **~ opener** abridor de latas m 148
can I? posso? 18
can I have? pode me dar? 18
can you help me? Pode me ajudar? 18
can you recommend…? Pode me indicar…? 97, 112
Canada Canadá m 119
Canadian *(noun/adj.)* canadense
canal canal n
cancel, to cancelar 68
cancer *(disease)* câncer m
candles velas fpl
candy balas fpl 150
canoe canoa f
canoeing fazer canoagem
canyon desfiladeiro m
cap touca f
capital city capital f

captain *(boat)* comandante m
car *(automobile)* carro m/automóvel m 86–9, 153; *(train compartment)* compartimento m 75; **by ~** de carro 95; **~ alarm** alarme m do carro; **~ ferry** balsa f 81, **~ park** área f de estacionamento 26, 87; estacionamento m de automóveis 96; **~ pound** pátio m de carros rebocados; **~ rental** aluguel m de carros 70, 86; **~ repairs** oficina f mecânica; **~ wash** lavagem f de carros
carafe jarro m 37
cardphone cartão telefônico m
cards as cartas 121
careful: be careful! tenha cuidado!
carousel carrossel m
carpet *(rug)* tapete m; *(fitted)* alcatifa f
carrier bag saco m
carry-cot porta-bebês m
carton pacote m 159
cartoon desenho m animado
cash dinheiro m 136; **~ card** cartão m de caixa eletrônico 139; **~ desk** caixa f 132
cash, to cobrar 138
cashmere casimira f
casino cassino m 112
cassette cassete f 157
castle castelo m 99
casualty department *(hospital)* emergência f
cat gato(-a)
catch, to *(bus)* apanhar (o ônibus)
cathedral catedral f 99
cause, to causar 94
cave caverna f 107
CD CD m, disco m compacto
CD-player tocador m de discos compactos
cemetery cemitério 99
cent centavo m
central heating aquecimento m central
center of town centro m da cidade 21
ceramics cerâmica f
certificate certificado m 157, 168

ENGLISH ➤ PORTUGUESE

certification contraste m 149
chain corrente m para o pescoço 149
chair cadeira f
change (coins) trocado 87, 136; **keep the ~** guarde o troco 84; (bus) mudar 79; (clothes) trocar (de roupa) (money) trocar 136, 138; (reservation) mudar 68; (trains) mudar/fazer baldeação 75, 80; **~ lanes** mudar de faixa; **where can I ~ the baby?** onde posso trocar as fraldas do bebê?
changing facilities lugar onde se pode trocar as fraldas do bebê
changing rooms vestiários mpl
channel (sea) canal m
chapel capela f
charcoal carvão m 31
charge tarifa f 30, 115
charter flight vôo m charter
cheap barato(-a) 14, 134
cheaper mais barato(-a) 21, 24 109, 134
check (bill) conta f; **put it on the check** ponha na conta
check, to verificar; **please check the...** por favor verifique...
checkbook [cheque book] talão m de cheques
check guarantee card cartão m de garantia
check in, to fazer o check in 68
check-in desk registro m 69
check out, to (hotel) pagar a conta
checked (patterned) xadrez
checkers (draughts) damas fpl
checkout (supermarket) caixa f
cheers! à sua saúde!
cheese queijo m 48, 160
chemical toilet fossa f séptica
chemist farmácia f 130, 140
chess xadrez m 121; **~ set** jogo m de xadrez 157
chewing gum goma f de mascar 150
chickenpox varicela f
child criança f; menino(-a); filho m, filha f
child's seat cadeirinha f de criança 39; (in car) cadeira f de criança

childcarer [childminder] babá f
children crianças fpl 24, 39. 66, 74, 81, 100, 113; filhos(-as) mpl/fpl 120
children's meals refeições de crianças
chips batatas fpl fritas (em rodelas) 160
chocolate chocolate m; (drink) chocolate m quente 40; **~ bar** chocolate m 150; **chocolate ice cream [choc-ice]** sorvete m de chocolate 110
chop (meat) costeleta f
christian (noun/adj.) cristão(-ã); **~ name** nome m próprio
church igreja f 96, 99, 105
cigarette machine máquina f de cigarros
cigarettes: pack of ~ maço m de cigarros mpl 150
cigars charutos mpl
cinema cinema m 96, 110
circle (theater) balcão m
city wall muralhas fpl da cidade 99
class (travel) classe f 68
clean (adj.) limpo(-a) 14, 39, 41
clean, to limpar 137
cleaned: I'd like my shoes cleaned queria meus sapatos fossem limpos
cleaner (person) empregado(-a) da limpeza; (product) produto m de limpeza
cleaning limpeza f; **~ utensils** utensílios mpl de limpeza
cleansing lotion loção f de limpeza
cleansing solution (contact lenses) líquido m de limpeza (para lentes)
cliff falésia m 107
cling film papel m aderente
cloakroom vestiário m 109
clock relógio m 149
close (near) perto
close, to fechar 100, 140
clothes roupa f 144; **~ dryer** centrifugadora f; **~ line** varal m; **~ pins [pegs]** prendedores de roupa 148
clothing store loja f de artigos de vestuário 130

ENGLISH ➤ PORTUGUESE

A-Z

cloudy, to be estar nublado 122
clown palhaço m
clubs (*golf*) tacos mpl de golfe 115
coach (*train compartment*) compartimento m 75
coast costa f
coat casaco m (comprido) 144; **~ check** vestiário m 109; **~ hanger** cabide m
cockroach barata f
code (*area/dialing*) código m 127
coffee café m 40
coil (*contraceptive*) dispositivo m intra-uterino
coin moeda f
cola cola f 40
cold frio(-a) 14, 24, 41, 122; (*flu*) resfriado m 141
cold meats frios mpl 160
collapse: he's collapsed ele desmaiou
collect, to vir buscar
college colégio m, faculdade f
color cor f 134, 143
color film filme m em cores 151
comb pente m 142
come back, to (*return*) voltar 36; vir buscar 140
comedy comédia f
comforter edredon m
commission comissão f 138
communion comunhão f
compact (*camera*) compacto(-a) 151
compact disc disco m compacto [CD] 157
company (*business*) companhia f; (*companionship*) 126
compartment (*train*) compartimento m
compass compasso m 31
complaint (*hotel*) reclamação f 41; **to make a ~** fazer uma reclamação 137
computer computador m
concert concerto m 108, 111; **~ hall** sala f de concertos 111
concession desconto m
concussion, to have a ter um traumatismo/uma concussão cerebral

conditioner (*hair*) condicionador m para o cabelo 142
condoms preservativos mpl
conductor (*orchestra*) maestro f 111
conference conferência f
confirm, to confirmar 22, 68
confirmation confirmação f
connection (*transport*) ligação f
conscious, to be estar consciente
constipation prisão f de ventre
consulate consulado m
consultant (*medical*) o(-a) especialista
contact, to contatar 28
contain, to conter 69, 155
contraceptive contraceptivo m
convenient conveniente
convertible (*car*) conversível m
cook cozinheiro(-a)
cook, to cozinhar
cook book livro m de culinária
cookies bolachas fpl 160
cooking (*cuisine*) cozinha f
coolbox geladeira f
copper cobre m 149
copy (*photocopies*) cópia f 155
corked (*wine*) sabor de rolha
corkscrew saca-rolhas m 148
corn plaster adesivo m para calos
corner esquina f 95
correct (*also* ➢ **right**) correto(-a)
cosmetics cosméticos mpl
cot berço m 22
cottage chalé m
cotton algodão m 145; **~ [wool]** algodão m 141
cough tosse f 141; **~ syrup** xarope m contra tosse
could I have…? poderia ter…?
counter balcão m
country (*nation*) país m
country music música f country 111
countryside campo m
couple (*pair*) par m
courier (*guide*) guia m
course (*meal*) prato m
courthouse palácio m de justiça
cousin primo(-a) m/f
cover (*lid*) tampa f

ENGLISH ➢ PORTUGUESE

cover charge entrada f
craft shop loja f de artigos regionais
crash: I've had a crash tive um acidente
creaks, the bed a cama range
credit card cartão m de crédito 42, 136, 153; **~ number** número m do cartão de crédito 109
credit status crédito m
credit, in com saldo positivo
crockery louça f 29, 148
cross (*crucifix*) crucifixo m
cross, to (*road*) atravessar 95
crossing (*boat*) travessia f
crossroad cruzamento m
crowded com muita gente
cruise cruzeiro
crutches muletas fpl
crystal cristal m 149
cuisine cozinha f 119
cup xícara f 39, 148
cupboard armário m
curlers bobes mpl (para o cabelo)
currency moeda f 67, 138
currency exchange (office) casa f de câmbio m 73
curtains cortinas fpl
cushion almofada f
customs alfândega f 67; **~ declaration** declaração f da alfândega 155
cut and blow-dry corte m e escova 147
cut glass vidro m facetado 149
cycle helmet capacete m
cycle path ciclovia f
cycling ciclismo m 114
cyclist ciclista m/f

D **daily** diariamente
damage danos mpl
damaged, to be estar avariado 28; ser danificado(-a) 71
damp (*adj.*) úmido(-a)
dance (*performance*) dança f 111
dancing, to go ir dançar 124
dangerous perigoso
dark escuro(-a) 14, 24, 134, 143
daughter filha f 120

dawn madrugada f
day dia m 97; (*ticket*) para o dia
day trip excursão f de um dia
dead morto(-a); (*battery*) descarregado(-a) 88
dear (*formal greeting*) caro(-a); (*informal*) querido(-a)
decide: we haven't decided yet ainda não decidimos
deck (*ship*) convés m
deck chair uma cadeira f de encosto 116
declare, to declarar 67
deduct, to (*money*) deduzir
deep profundo(-a)
deep-freeze congelador m
defrost, to descongelar
degrees (*temperature*) graus mpl
delay atraso m 70
delicatessen delicatessén f 130
delicious delicioso(-a) 14
deliver, to entregar
denim brim m 145
dental floss fio m dental
dentist dentista m/f 131, 168
deodorant desodorante m 142
depart, to (*train, bus*) partir
department (*store*) seção
department store loja f de departamentos 130
departure (*train*) partida f 76; **~ lounge** sala f de embarque
depend: it depends on depende de
deposit sinal m 24, 83, 115; **to pay a ~** deixar um sinal
describe, to descrever 152
design (*dress*) de marca
designer costureiro m
destination destino m
details detalhes [pormenores] mpl
detergent detergente m
develop, to (*photos*) revelar 151
diabetes diabetes m
diabetic, to be ser diabético(-a) 39
diamonds diamantes mpl; (*cards*) ouros
diapers fraldas fpl 142

ENGLISH ➤ PORTUGUESE

177

A-Z

diarrhea diarréia f 141
dice dados mpl
dictionary dicionário m 150
diesel óleo diesel m 87
diet, I'm on a estou fazendo dieta
different, something alguma coisa diferente
difficult difícil 14
digital digital
dine, to jantar m
dining car serviço m de restaurante 75, 77
dining room sala f de jantar 26
dinner jacket smoking m
dinner jantar m, almoço m; **to have ~** jantar
direct direto(-a) 75
direct, to indicar
direct-dial telephone telefone m de ligação direta
direction direção f; **in the ~ of...** na direção de
director (*film*) realizador m; (*company*) diretor m
directory (*telephone*) lista f telefônica
directory assistance informações fpl 127
dirty sujo(-a) 14, 28
disabled (*person*) deficiente 22, 100
disco discoteca f 112
discount: can you offer me a discount? pode me dar um desconto?; **is there a ~ for children?** há desconto para crianças?
disgusting horroroso(-a)
dish (*meal*) prato m
dish cloth pano m de prato 148
dishes louça f 29, 148
dishwashing liquid/detergent detergente m para a louça 148
display case vitrina f 149
disposable (*camera*) descartável 151
distilled water água f destilada
district (*city/town*) bairro m
disturb, don't não incomodar
dive, to mergulhar 116
diversion desvio m

divorced, to be estar divorciado(-a) 120
do: things to do coisas para fazer 123
do you accept...? aceita...? 136
do you have...? tem...? 37
dock doca f
doctor médico m 131, 161, 165, 224
does anyone here speak English? há alguém aqui que fale inglês?
dog cão m
doll boneca f 157
dollar dólar m 67, 138
door porta
dosage dose f
double bed cama f de casal 21
double room quarto m duplo 21
down abaixo
downstairs em baixo 12
downtown area centro m da cidade 99
dozen dúzia f 159
drain esgoto m
drama drama m
draught (*wind*) corrente f de ar
dress vestido m 144
drink (*n*) bebida f 70, 124, 125, 126
drinking water água m potável 30
drip: the faucet [tap] drips a torneira pinga
drive, to dirigir/conduzir 93
driver motorista m
driver's license carteira f de habilitação 93
drop off, to (*someone*) deixar 83, 113
drowning: someone is drowning alguém está se afogando
drugstore farmácia f 130
drunk bêbado(-a)
dry cleaner lavanderia f que lava a seco 131
dry clothes, to secar roupa
dry cut corte a seco
dry-clean, to lavar a seco
dual freew via f rápida **due, to be** (*payment*) ser devido
dummy (*pacifier*) chupeta f
during durante
dustbin lixeira f 30
dusty poeirento(-a)
duty: to pay duty pagar taxas (alfandegárias) 67

duty-free goods artigos mpl isentos de taxas
duty-free store 'duty-free-shop' m
duty-free shopping compras fpl duty-free 67

E

each: how much each? quanto é cada?
ear drops gotas fpl para os ouvidos
earlier mais cedo 147
early cedo 13
earrings brincos mpl 149
east leste m 95
easy fácil 14
eat, to comer 41; **places to eat** lugares para comer
eaten: have you eaten? já comeu?; **we've already eaten** já comemos
economical econômico(-a)
economy class (em) classe econômica 68
eggs ovos mpl 160
either… or ou … ou
elastic (*adj.*) elástico(-a)
electric blanket cobertor m elétrico
electric fire aquecedor m
electric meter relógio m de luz 28
electric shaver aparelho f de barbear
electrical items produtos m elétricos
electrical store loja f de artigos elétricos
electrician eletricista m
electricity eletricidade f
electronic game jogo m eletrônico 157
elevator elevador m 26, 132
else, something outra coisa
embark, to (*boat*) embarcar
embarkation point cais m de embarque
embassy embaixada f
emerald esmeralda f
emergency emergência f 127; **it's an** ~ é uma emergência; ~ **exit** saída f de emergência; ~ **room** (*hospital*) emergência f
empty vazio(-a) 14
enamel esmalte m
end, to acabar/terminar
end: at the end ao fim de

engaged, to be estar noivo(-a) 120
engine motor m
engineer mecânico(-a)
England Inglaterra f 119
English inglês m/inglesa f 11, 110, 150
English-speaking que fale inglês 152
enjoy, to apreciar 110; gostar de 124, 125
enlarge, to (*photos*) ampliar 151
enough suficiente 15; 136
enquiry desk balcão m de informações
ensuite bathroom banheiros mpl privativos
entertainment: what entertainment is there? que espetáculos há?; ~ **guide** guia m de espetáculos
entirely completamente
entrance fee ingresso m/entrada f 100
entry visa visto m de entrada
envelopes envelopes mpl 150
epileptic epiléptico(-a)
equally em partes iguais
equipment (*sports*) equipamento m 115
error erro m
escalator escada f rolante 132
essential essencial 89
estate car minivan m
EU (European Union) UE f (União Européia)
euro euro m 139
Eurocheck Eurocheque m
Europe Europa f
evening dress traje m de noite 112
events espetáculos mpl 108
every day todos os dias
every week todas as semanas 13
example, for por exemplo
except exceto
excess baggage excesso m de bagagem 69
exchange rate câmbio m 138
exchange, to trocar 138
excluding meals sem refeições
excursion excursão f 97
excuse me (*apology*) desculpe-me 10; (*attention*) desculpe/por favor/com licença 10, 94

ENGLISH ➤ PORTUGUESE

A-Z

exhausted, to be estar exausto(-a) 106
exhibition exposição f
exit saída f 70; **at the ~** à saída f
expected, to be ser necessário
expensive caro(-a) 14, 134
expire: when does it expire? quando expira?
expiration date validade 109
exposure (*photos*) fotografias fpl 151
extra (*additional*) mais/extra 23
extremely extremamente 17
eyeliner lápis m para os olhos
eyeshadow sombra f para os olhos

F

fabric (*material*) tecido m
facial limpeza de pele 147
facilities serviço(s) 22, 30
facilities (*food*) instalações fpl
fator… (*sunscreen*) fator… m
fairground parque m de diversões/feira 113
fall: he's had a fall ele sofreu uma queda
family família f 66, 74, 120
famous famoso(-a)
fan (*electric*) ventilador m 25
fan: I'm a fan of… sou um(a) fã de…
far longe; **how ~ is it?** fica longe?; **is it ~?** é longe?
farce farsa f
fare bilhete m
farm fazenda f 107
fashionable, to be estar na moda
fast depressa 93; **you were driving too ~** estava dirigindo depressa demais
fast food refeições fpl rápidas; **~ restaurant** restaurante m cadeia de fast food [de refeições rápidas] 35
fat (*noun*) gordura; (*adj*) gordo (-a)
father pai m 120
faucet torneira f 25
fault: it's my/your fault é minha/sua culpa

faulty com defeito; **to be ~** ter defeito
favorite preferido(-a)
fax fax m 155
feed, to alimentar/dar de comer
feeding bottle mamadeira f
feel sick, to sentir-se mal
female mulher f 152
fence cerca f
ferry balsa f 81
festival festival m
few poucos(-as) 15
fiancé(e) noivo(-a) m/f
field campo m 107
fight (*brawl*) briga f
fill out, to (*form*) preencher 155
filling (*sandwich*) recheio m
film (*camera*) filme m 151
film speed sensibilidade f
filter filtro m 151; **~ paper** (*coffee*) filtro m de papel
filter-tipped com ponta de filtro
find out: could you find that out? pode descobrir isso?
fine (*penalty*) multa f 93; (*well*) bem/ótimo(-a) 118
fire: there's a fire! há fogo!
fire alarm alarme m de incêndio
fire department [brigade] bombeiros mpl 92
fire escape saída f de incêndio
fire extinguisher extintor m de incêndio
firelighters acendedores mpl 31
fireplace lareira f
first primeiro(-a) 68, 75, 81;
I was ~ cheguei primeiro
first class (em) primeira classe 68, 74
first floor andar térreo m
first-aid kit estojo m de primeiros socorros
fish counter banca f de peixe 158
fish store peixaria f 130
fishing, to go ir pescar
fishing rod vara f de pesca
fit, to (*clothes*) servir 146
fitting room provador m 146
fix, to: can you fix it? pode arrumar isso?

flag bandeira f
flannel (*face*) toalha f de rosto; (*material*) flanela f
flash (*photography*) flash m 151
flashlight lanterna f 31
flat (*tire*) furo m 83, 88
flavor: what flavors do you have? quais os sabores?
flea brechó m
flea market feira f
flight vôo m 70; ~ **attendant** comissário(a) de bordo; ~ **number** número m do vôo 68
flip-flops sandálias fpl de borracha 145
flippers (*swimming*) nadadeiras fpl
flood inundação f
floor (*level*) andar m 132
floor mop esfregão f
floor show espetáculo m
florist florista f 130
flour farinha
flower flor f 106
fluent: to speak fluent Portuguese falar português fluentemente
flush: the toilet won't flush o vaso m sanitário dá descarga
fly (*insect*) mosca f
fly, to voar
foggy, to be haver nevoeiro 122
folding chair/table cadeira f/mesa f portátil
folk art arte f popular
folk music música f popular 111
follow, to seguir; (*pursue*) ir atrás de
food alimentos mpl 39; comida f 41
football futebol m 114
footpath caminho m para pedestres 107
for a day para um dia 86
for a week para uma semana 86
forecast previsão f 122
foreign estrangeiro(-a); ~ **currency** divisas fpl estrangeiras 138
forest floresta f 107
forget, to esquecer 42
fork garfo m 39, 41, 148; (*in road*) bifurcação f
form impresso m 23, 153, 168

formal dress traje m a rigor 111
fortnight quinze dias
fortunately felizmente 19
forward: please forward my mail por favor, remeta minha correspondência
forwarding address endereço m (de envio)
foundation (*make-up*) base f
fountain fonte f
four-door car carro m de quatro portas 86
four-wheel drive tração f nas 4 rodas 86
foyer (*hotel/theater*) átrio m/foyer m
frame (*glasses*) armação f
free (*available, not busy*) livre 36, 124; (*no charge*) grátis
French (*language*) francês m
frequent: how frequent? qual é a freqüência?
frequently muitas vezes
fresh fresco(-a) 41
fried frito
friendly simpático
fries batatas fpl fritas 38, 40
frightened, to be estar assustado(-a)
fringe franja f
from de 12; **from... to** das... às 13
front door porta f (principal) 26; ~ **key** chave f da porta (da frente)
frozen congelado
fruit juice suco m de fruta 40
fruiterer frutaria f
fuel (*gasoline/petrol*) combustível m 86
full cheio(-a) 14
full board (American Plan [A.P.]) pensão completa 24
full insurance seguro m total 86
fun, to have divertir-se
funny (*amusing*) divertido; (*odd*) estranho
furniture mobília f
fuse fusível 28; ~ **box** quadro m de luz 28; ~ **wire** fio m do fusível

ENGLISH ➤ PORTUGUESE

G

gallon galão m
gambling jogo m
game (*toy*) jogo m 157
garage oficina [garagem] f 88
garbage bags sacos mpl para o lixo 148
garden jardim m
gardener jardineiro m
gardening jardinagem f
gas (gasoline) f 87, 88 **~ can** lata f
gas: I smell gas! gás: cheira a gás!
gas bottle botijão m de gás 28
gasoline gasolina f 87
gate (*airport*) porta f 70
gay club clube m gay 112
generous: that's very generous isso é muito generoso
genuine autêntico 134
geology geologia
get, to (*find*) apanhar 84
get by: may I get by? posso passar?
get out, to (*vehicle*) sair
gift presente m, oferta f 67, 156
girl menina f 120
girlfriend namorada f 120
give, to dar
give way, to (*on the road*) dar prioridade 93
glass copo m 39, 148
gliding vôo m planado
gloomy lúgubre
glove luva f
go ir; **let's ~!** vamos!; **where does this bus ~?** para onde vai este ônibus?
go away! vá embora!
go back, to (*turn around*) voltar atrás/virar para trás
go for a walk, to ir passear (a pé) 124
go out, to (*in evening*) sair
go shopping, to ir às compras 124
goggles óculos mpl de proteção
gold ouro m 149; **~ plate** dourado 149
golf golfe m 114; **~ course** campo m de golfe 115
good bom (boa) 14, 35, 42; **~ afternoon** boa tarde 10; **~ evening** boa tarde 10; **~ morning** bom dia 10; **~ night** boa noite 10
good value, to be valer a pena 101
good-bye adeus 10
gorge desfiladeiro m
grade (*fuel*) grau m/tipo m
grammar gramática f
gram grama m 159
grandparents os avós mpl
grapes uvas fpl 160
grass grama f
gratuity gratificação f
gray cinzento(-a) 143
greasy (*hair*) oleoso(-a)
great fun divertido(-a) 101
green verde 143
greengrocer frutaria f
grilled grelhado
grocery store mercearia f 130
ground (*camping*) terreno 31
groundsheet plástico m de estender no chão 31
group grupo m 66, 100
guarantee garantia f 135
guide (*person*) guia m/f 98
guidebook guia m 150
guided tour visita f monitorada 100
guitar guitarra f
guy rope (*tent*) tirante m para fixação de barraca 31

H

hair cabelo m 147; **~ brush** escova f de cabelo; **~ dryer** secador m de cabelo; **~ gel** gel m para o cabelo; **~ mousse** musse f para o cabelo; **~ clip** grampo m; **~ spray** laquê m para o cabelo 142
haircut corte m de cabelo 147
hairdresser (*ladies/men*) cabeleireiro m (senhoras/homens) 131, 147
half board (Modified American Plan [M.A.P.]) meia-pensão 24
half fare meia entrada mf
hammer martelo m 31
hand cream creme m para as mãos
hand luggage bagagem de mão 69

hand towel toalha f de mãos
hand washable para lavar à mão
handbag mala f de mão 144, 153
handicap *(golf)* handicap m
handicrafts artesanato
handkerchief lenço m
handle cabo m
hanger cabide 27
hangover ressaca f 141
happen: what happened? o que aconteceu?
harbor porto m 99
hard shoulder *(road)* acostamento m
hardware store loja f de ferragens 130
hat chapéu m 144
have, to ter; **do you ~ any …?** tem …?
haversack mochila f (de camping)
hayfever rinite f alérgica
headband faixa f para o cabelo
heading, to be *(in a direction)* ir (a caminho de) 83
health food store loja f de produtos dietéticos 130
hear, to ouvir
hearing aid aparelho m auxiliar de audição
hearts *(cards)* copas
heater aquecedor m
heating aquecimento m 25
heavy pesado(-a) 14, 134
height altura f
helicopter helicóptero m
hello olá
help ajuda f 94
help, to ajudar 18; **can you ~ me?** Pode me ajudar? 92
helper vigilante m/f 113
hemorrhoids hemorróidas mpl
her ela/sua/dela 16
here aqui 12, 17
hers sua/dela 16; **it's ~** é dela
high altura f/altitude f
high tide maré f alta
highlight, to fazer luzes 147
highway auto-estrada f 94
hike *(walk)* passeio m a pé 106
hiking fazer longas caminhadas a pé
hill colina f 107

him ele 16
hire, for para alugar
his seu/dele 16; **it's ~** é dele
history história f
hitchhike, to pedir carona
hitchhiking de carona 83
HIV-positive HIV positivo
hobby *(pastime)* passatempo m 121
hold, to *(contain)* conter
hole *(in clothes)* buraco m
holiday resort estância f de férias
home: casa f; **to go ~** ir para casa
homosexual *(adj.)* homossexual
honeymoon, to be on estar em lua-de-mel
horse cavalo m
horseracing corrida f de cavalos 114
hospital hospital m 131
hot quente 24; *(weather)* 122
hot chocolate chocolate m quente 40
hot dog cachorro-quente m 110
hot spring nascente f de água quente
hot water água f quente 25; **~ bottle** garrafa f de água quente
hotel hotel m 21; **~ reservation** reservas fpl de hotel 21
hour hora f 97; **in an ~** daqui a uma hora 84
house casa f
household articles artigos para a casa mpl 148
housewife dona-de-casa f 121
how? como? 17
how are you? como está? 118
how far? a que distância? 94, 106
how long? quanto tempo? 23, 75, 76, 78, 88, 94, 98, 135
how many? quantos(-as)? 15, 80
how much? quanto? 15, 21, 84, 109
how often? quantas vezes? 140
how old? que idade?
however contudo
hungry, to be estar com fome
hurry, to be in a estar com pressa
hurt, to be estar ferido(-a) 92
husband marido m 120
hypermarket hipermercado m

A-Z

ENGLISH ➤ PORTUGUESE

183

A-Z

I

I'd like... queria... 18, 36, 37, 40
I'd like to reserve... queria reservar ... 74
I'll have... quero...
I've lost... perdi...
ice gelo m 38
ice cream sorvete m 40; **~ parlor** sorveteria f 35; **~ cone** cone m de sorvete
ice hockey hóquei m no gelo
ice pack pacote m de gelo
ice rink rinque m de patinação no gelo
icy, to be estar gelado 122
identification identificação f 136
ill, to be estar doente 152
illegal, to be ser ilegal
illness doença f
imitation de imitação 134
immediately imediatamente 13
impressive impressionante
in (place) dentro de; (time) em 13
included: is... included?... está incluído(-a)? 86, 98
inconvenient, it's é inconveniente
indicate, to fazer sinal
indoor dentro de casa; **~ pool** piscina f coberta 116
inexpensive barato(-a) 35
inflammation inflamação f
informal (dress) de passeio
information informação f 97; **~ desk/office** 73, 96
injured, to be estar ferido(-a) 92
innocent inocente
insect inseto m 25; **~ bite** picada f de inseto 141; **~ repellent** repelente m de insetos 141
inside dentro de
inside lane faixa f da direita
insist: I insist insisto
insomnia insônia f
instant coffee café m instantâneo 160
instead of em vez de
instructions instruções fpl 135
instructor instrutor m
insulin insulina f
insurance seguro m 86, 89, 93; **~ certificate** apólice f de seguro 93; **~ claim** reclamação f ao seguro 153; **~ company** companhia f de seguros 93
interest (hobby) passatempo m 121
interest rate taxa f de juros
interesting interessante 101
international internacional
International Student Card Cartão m Internacional de Estudante 29
interpreter tradutor(a) 93; intérprete m/f 153
intersection cruzamento m
interval intervalo m
into para
invitation convite m 124
invite, to convidar 124
Ireland Irlanda f 119
Irish (adj.) irlandês m, irlandesa f
iron (clothing) ferro m de passar
iron, to passar a ferro
is there...? há...?
is this seat taken? este lugar está ocupado? 77
island ilha f
it is... é/está... 17
Italian cuisine cozinha f italiana
itch: it itches provoca coceira
itemized bill conta f detalhada 32, 42

J

jack (cards) valete m
jacket casaco m (curto) 144
jam doce m
jammed, to be estar empenado(-a) 25
jar frasco m 159
jeans jeans mpl 144
jellyfish água-viva f
jet lag: I have ~ estou com desconforto causado pela alteração do fuso horário
jewelry store/jeweler joalheria f 131, 149
Jewish (adj.) judeu (judia)
job: what's your job? em que trabalha?
jogging pants calças fpl de jogging

jogging, to go ir fazer jogging
join: may we join you podemos ir com vocês? 124
joint *(meat)* peça f (de carne)
joint passport passaporte m em conjunto 66
joke piada f
joker *(cards)* curinga m, diabo m
journalist jornalista m/f
journey viagem f 123
judo judô m
jug *(water)* jarro m
jumper suéter m
jumper cables [jump leads] cabos mpl da bateria
junction *(intersection)* cruzamento m

K **kaolin** caolim m
keep: keep the change guarde o troco
kerosene querosene m
ketchup ketchup m
kettle chaleira f
key chave f 27, 71, 88; **~ ring** chaveiro m 156
kiddie pool piscina f infantil 113
kilo(gram) quilo m 159
kilometer quilômetro m
kind *(pleasant)* amável
kind: what kind of…? que espécie de…?
king *(cards, chess)* rei m
kiosk quiosque m
kiss, to beijar 126
kitchen cozinha f 29; **~ paper towels** papel-toalha m
knapsack mochila f 31, 145
knickers calcinhas fpl
knife faca f 39, 148
Know; I don't know não sei

L **label** etiqueta f
lace renda f
ladder escada f de mão
ladies room *(toilet)* toalete m feminino
lake lago m 107

lamp luminária f 25; lamparina f
land, to aterrar 70
landlord/landlady senhorio(-a), locador(-a)
lane faixa f, via f
large grande 40, 110
last último(-a) 14, 68, 75, 80, 81
last, to *(time)* durar
late tarde 14; *(delayed)* atrasado(-a) 70
later mais tarde 125, 147
laugh, to rir 126
laundromat lavanderia f 131
laundry service serviço de lavanderia 22
lavatory banheiro m
lawn gramado m
lawyer advogado m 152
laxative laxante m
lead, to *(road)* ir 94
lead-free *(petrol/gas)* sem chumbo 87
leaflet folheto m 97
leak, to *(roof/pipe)* pingar; *(car)* perder
learn, to *(language/sport)* aprender
leather couro m 145
leave from, to *(transport)* partir/sair 78
leave me alone! deixe-me só! 126
leave, to partir 68, 70, 76, 81, 98; *(drop off)* deixar 86; *(place)* ir embora 126
lecturer conferente m
left, on the à esquerda 76, 95
left-hand side lado m esquerdo
left-handed canhoto
left-luggage office *(baggage check)* setor m de bagagem extraviada de 71, 73
legal, to be legal, ser
leggings meia-calça f 144
lemon limão 38
lemonade limonada f 40
lend: could you lend me …? Poderia me emprestar…?
length (of) comprimento m (de)
lens objetiva f 151; **~ cap** tampa f para a objetiva 151
lesbian club clube m de lésbicas
less menos 15
lesson lição
letter carta f 154

letterbox caixa f do correio
level (*flat*) nivelado 31
library biblioteca f 99, 131
license plate number placa (de automóvel) f 23, 88, 93
lie down, to deitar-se
lifeboat barco m salva-vidas
lifeguard salva-vidas m 116
life jacket colete m salva-vidas
life preserver [belt] cinto m de segurança 81
lift (*hitchhiking*) boléia 83
light (*shade*) claro(-a) 14, 134, 143; (*weight*) 14, 134
light (*bicycle*) luz f 83; (*cigarette*) fogo m 126; (*electric*) luz f 25
lightbulb lâmpada f 25, 148
lighter isqueiro m 150
lightning relâmpago m
like this (*similar to*) como isto
like: I'd like queria
line (*queue*) fila f; **to wait in line** estar na fila 112
line (*subway [metrô]*) linha f 80
line (*profession*) profissão f
line: an outside ~ (*telephone*) ligue-me à rede
linen linho m 145
lipsalve protetor m labial (manteiga de cacau)
lipstick batom m
liqueur licor m
liquor store loja f de vinhos 131
liter litro m 87, 159
little pouco
live, to viver; **~ together** viver juntos 120
living room sala f de estar 29
loaf of bread pão m 160
lobby (*theater/hotel*) foyer m/átrio m
local regional 35, 37
lock fechadura f 25; (*canal*) comporta f
locked, to be fechar (à chave) 26; **it's locked** está fechado à chave
locker armário m com cadeado
lollipop pirulito m
London Londres

long (*clothing*) comprido(-a) 146; (*time*) muito
long-distance bus ônibus m de longo percurso 78
long-distance call chamada f de longa distância
look, to: I'm just looking estou só olhando
look, to have a (*check*) dar uma olhada
look after: please look after my case for a minute por favor, tome conta da minha mala por um minuto
look for, to procurar 18
look forward: I'm looking forward to it estou ansioso(-a) por
look like: what does your luggage look like? como é sua bagagem? 71
loose (*clothing*) largo(-a) 146
lose, to perder 28, 153; **I've lost...** perdi... 71
loss perdas 71
lost, to be estar perdido
lost-and-found [lost property office] perdidos mpl e achados
lotion loção f
lots muitos
loud, it's too está muito alto
louder mais alto 128
love: I love Portuguese food adoro a comida portuguesa; **I love you** eu te amo
low-fat magro
lower (*berth*) inferior 74
lubricant lubrificante m
luggage bagagem f 67, 69, 71
luggage allowance peso m permitido
luggage carts [trolleys] carrinhos mpl de bagagem 71
luggage locker guarda-volumes m 71, 73
luggage tag etiqueta f de bagagem
luggage ticket comprovante m de bagagem 71
lumpy (*mattress*) com altos e baixos
lunch almoço m 98
luxury luxo m

ENGLISH ➤ PORTUGUESE

M madam senhora f
magazine revista f 150
magician mágico m
magnetic north norte m magnético
magnificent magnífico(-a) 101
maid empregado(-a) m/f da limpeza
maiden name nome m de solteira
mail *(post)* correio m 27, 155
mailbox caixa f do correio 154
main principal 130; ~ course prato m principal; ~ street rua f principal 95, 96
mains *(electricity)* rede f
make *(brand)* marca f
make-up maquilagem f
make: to make tea/coffee fazer chá/café
male homem m 152
mallet maço m
man homem m
manager gerente m/f 25, 41, 137
manicure manicure f 147
manual *(gears)* manual m de instruções
many muitos(-as) 15
map mapa m 94, 106, 150
margarine margarina f 160
market mercado m 99, 131
market day dia m de mercado
married, to be ser casado(-a) 120
mascara rímel m
mask *(diving)* máscara f (de mergulho)
mass missa f 105
massage massagem f 147
match *(game)* jogo m 114
matches *(box)* fósforos mpl 31, 148, 150
material material m
matinée matinê f 109
matter: it doesn't ~ não importa; what's the ~? qual é o problema?
mattress colchão m 31
may I ...?
maybe talvez
me mim 16
meal refeição f 38, 42, 125
mean, to significar 11
measure, to medir 146
measurement tamanho m

meat carne f 41
medicine remédio m
medium *(regular size)* médio(-a) 40; *(steak)* no ponto
meet, to encontrar(-se) 125; pleased to meet you muito prazer 118
meeting place ponto m de encontro
member *(club)* membro m/sócio m 112, 115
men *(toilet)* banheiro masculino
mend, to consertar 137
mention: don't ~ it não por isso 10
menu cardápio m
message mensagem 27, 128
metal metal m
meter *(taxi)* taxímetro m
methylated spirits álcool m (desnaturado) 31
metro *(subway)* metrô 80; ~ station estação f de metrô 80, 96
Mexico México f
mezzanine *(theater)* balcão m
microwave *(oven)* microondas m
midday meio-dia m
migraine enxaqueca f
mileage quilometragem f 86
milk leite m 160
milk of magnesia leite m de magnésia
mince carne f moída
mind: do you mind? importa-se? 77, 126
mine meu/minha 16; it's ~ é meu/minha
mineral water água f mineral 40
minibar frigobar 32
minibus microônibus m
minimum *(n)* mínimo m
minister pastor m
minivan perua f
minute minuto m 76
mirror espelho m
miss, to perder; have I missed the bus to...? perdi o ônibus para...?
missing, to be faltar; *(person)* desaparecer 152
mistake engano m 41, 42

ENGLISH ➤ PORTUGUESE

A-Z

misunderstanding, there's a houve um mal-entendido
mobile home casa f móvel
modern moderno(-a) 14
modern art arte f moderna
moisturizer (cream) creme m hidratante
moisturizing cream creme m hidratante
monastery mosteiro m 99
money dinheiro m 42, 139, 153
money order vale m postal
money belt cinto m porta-moedas
monthly (ticket) mensal 79
monument monumento m
mooring ancoradouro m
moped motoneta, scooter f 83
more mais 15, 67; **I'd like some ~** queria mais
moslem (adj.) muçulmano(-a)
mosquito mosquito m; **~ bite** picada f de mosquito
mother mãe f 120
motion sickness enjôo m 141
motorbike motocicleta f 83; **~ parts** 82
motorboat um barco m a motor 116
motorway (highway) auto-estrada f 94
mountain montanha f 107; **~ bike** bicicleta f para montanha; **~ pass** desfiladeiro m 107; **~ range** cordilheira f 107
mountaineering montanhismo m
mousetrap ratoeira f
moustache bigode m
mouth ulcer afta f
move, to mudar(-se) 25
movie filme m 108, 110
movie theater cinema m
Mozambique Moçambique 119
Mr. sr. m
Mrs. senhora f
much muito 15
mug (drinking) caneca f
mugged, to be ser assaltado 153
mugging assalto m 152
mumps caxumba f
museum museu 99
music música f 111

music box caixa f de música
musical (entertainment) espetáculo m musical 108
musician músico m
Muslim (person) muçulmano(-a)
must: I must eu devo
mustard mostarda f 38, 160
my meu/minha 16
myself: I'll do it ~ eu mesmo faço isso

N

nail (body) unha f; **~ polish** esmalte m de unhas; **~ scissors** tesoura f de unhas
name nome m 22, 36, 93, 118, 120; **my ~ is** meu nome é… 118; **what's your ~?** como se chama? 118
napkin guardanapo m 39
narrow estreito(-a) 14
national nacional
nationality nacionalidade f
natural history ciências fpl naturais
nature reserve reserva f natural 107
nausea náusea f
navy blue azul-marinho
nearby próximo 21
nearest mais próximo(-a) 80, 88, 92, 130
necessary necessário(-a) 89
neck (clothing) gola f
necklace colar m 149
need: I need to… precisar de… 18
needle agulha f
neighbor vizinho(-a)
nephew sobrinho m
never nunca 13
never mind não tem importância 10
new novo(-a) 14
New Zealand Nova Zelândia f
newsagent (newsdealer) jornaleiro m 150
newspaper jornal m 150
newsstand [newsagent] banca f de jornais 131
next próximo(-a) 14, 68, 75, 78, 80, 81, 87
next stop! na próxima parada! 79
next to ao lado de; a seguir a 95
niece sobrinha f
night, per por noite

night porter porteiro m
nightclub nightclub m 112
nightdress traje m de noite
no não 10
no one ninguém 16, 92
noisy barulhento(-a) 14
non-alcoholic não-alcoólico(-a)
non-smoking (adj.) não-fumantes 36, 69
none nenhum(a) 15
normal normal 67
north norte m 95
Northern Ireland Irlanda f do Norte
not that one esse(-a) não 16
not yet ainda não 13
note nota f
notebook caderno m
nothing to declare nada a declarar
nothing else mais nada 15
nothing for me nada para mim
notice board quadro m de avisos
now agora 13, 84
nudist beach praia f de nudismo
number (telephone) número m de telefone 84; **sorry, wrong ~** desculpe, número errado
number plate (car) placa f
nurse enfermeiro(-a)
nut (bolt) porca f
nylon náilon m

O
observatory observatório m
occupied ocupado(-a) 14
of de
of course com certeza 19
off-licence loja f de vinhos 131
off-peak baixa estação
office escritório m
often muitas vezes 13
oil óleo m
oily (hair) oleoso(-a)
okay o.k. 10
old velho(-a) 14
old town parte f velha da cidade
old-fashioned antigo(-a) 14
olive oil azeite m
omelet omelete f

on, to be (showing at cinema) estar em cena
on: **~ board** (transport) a bordo 74; **~ foot** a pé 17, 95; **~ the left** à esquerda 12; **~ the other side (of)** do outro lado (de) 95; **~ the right** à direita 12; **~ the spot** no local
once a week uma vez por semana 13
one um(a) 216
one-way ticket bilhete m de ida 68, 74, 79
open, to abrir 132, 140
open aberto(-a) 14; **~ to the public** aberto(-a) ao público 100; **~ to traffic** aberto(-a) ao trânsito
open-air pool piscina f ao ar livre 116
opening hours horas fpl de funcionamento 100
opera ópera f 108, 111; **~ house** teatro m de ópera 99, 111
operation operação f
operator telefonista f
opposite em frente de 12
optician oftalmologista m 131
or ou 19
orange (fruit) laranja f 160; (color) cor de laranja 143
orchestra orquestra f 111; (theater) platéia f
order, to encomendar 37, 41, 89, 135; (call) chamar 32
organized walk/hike passeio a pé organizado 106
ornithology ornitologia f
others outros(-as)
our(s) nosso(-a) 16
out: he's ~ (not here) ele não está
outdoor ao ar livre; **~ pool** piscina f ao ar livre 116
outside fora de; lá fora 36
outside lane faixa f da esquerda
oval oval 134
oven forno m
over para/do outro lado
over there ali 76
overcharged, I've been cobraram-me a mais

ENGLISH ➤ PORTUGUESE

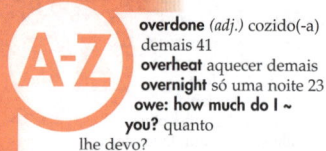

A-Z

overdone *(adj.)* cozido(-a) demais 41
overheat aquecer demais
overnight só uma noite 23
owe: how much do I ~ you? quanto lhe devo?
own: on my ~ sozinho(-a)

P

p.m. da tarde/da noite
pacifier chupeta f
pack of cards baralho m
pack, to fazer as malas 69
package pacote m 155
packed lunch farnel m
pack [packet] pacote m
paddling pool piscina f infantil 113
padlock cadeado m
pain killers analgésico m 141
paint, to pintar
painted pintado 104
painter pintor(a)
painting quadro m
pajamas pijama m
palace palácio m 99
panty hose collant m 144
paper papel m
paper napkins guardanapos mpl de papel 148
paraffin parafina f 31
parcel pacote m 155
pardon? como?
parents pais mpl 120
park parque m 96, 99, 107
park, to estacionar
parking estacionamento m 87; **~ lot** área m de estacionamento 26, 87; estacionamento m de automóveis 96; **~ meter** parquímetro m 87; **~ space** parque/lugar m de estacionamento; **~ token/disk** tíquete m de estacionamento
partner *(boyfriend/girlfriend)* companheiro m/companheira f
parts *(car components)* peças fpl 89
party *(social)* festa f 124; *(group)* grupo m

pass atalho m
pass, to passar 77; **~ through** estar de passagem 66
passenger passageiro (-a)
passport passaporte m 66, 69, 153; **~ control** controle m de passaportes 66
pastry shop confeitaria f
patch, to remendar
path caminho m
pavement, on the no passeio
pay, to pagar 42, 87, 136; **~ a fine** pagar uma multa 93; **~ by credit card** pagar com cartão de crédito
pay phone telefone m público
payment pagamento m 32
peak pico m 107
pearl pérola f
pebbly *(beach)* de seixos 116
pedestrian crossing passagem f de pedestres 96
pedestrian zone [precinct] zona f urbana 96
pedicure pedicure f
pen caneta f 150
pencil lápis m
penicillin penicilina f
penknife canivete m
penpal correspondente m/f
people pessoas fpl 92
people carrier *(minivan)* perua f
pepper pimenta f 38
per: ~ day por dia 30, 83, 86, 87, 115; **~ hour** por hora 87, 115; **~ night** por noite 21; **~ week** por semana 83, 86
performance sessão f
perhaps talvez 19
period período m
perm *(hair)* permanente f
perm, to fazer uma permanente 147
permit permissão f
personal stereo Walkman® m
pet *(animal)* animal m de estimação
pewter peltre m
pharmacy farmácia f 140, 158
phone telefone m; **~ call** telefonema m 152; **~ card** cartão m telefônico 127, 155

ENGLISH ➤ PORTUGUESE

photo fotografia f; **passport-sized ~** fotografia de passaporte 115; **to take a ~** tirar uma fotografia
photocopier fotocopiadora f 155
photographer fotógrafo m
photography fotografia f 151
phrase frase 11; **~ book** livro m de frases 11
piano piano m
pick up, to ir buscar 28, 113; *(collect)* levantar 109
pickup truck caminhonete f de carroceria aberta
picnic piquenique m; **~ area** área f para piqueniques 107
piece peça f 69
pill, on the *(contraceptive)* estar tomando a pílula
pillow almofada f 27; **~ case** fronha f
pilot light piloto m
pink cor-de-rosa 143
pint meio litro m
pipe cachimbo m
pitch *(camping)* lote m; **~ charge** preço m do lote
pity: it's a pity é uma pena
pizzeria pizzaria f 35
place lugar m
place a bet, to fazer uma aposta
plain *(not patterned)* liso(-a)
plane avião m 68
plans planos mpl 124
plant planta f
plastic bag saco m de plástico
plastic wrap plástico m aderente
plate prato m 39, 148
platform plataforma f 73, 76
platinum platina f 149
play, to *(sport)* jogar 121; *(drama)* estar em cena 110; *(instrument)* tocar
playground parque m infantil [playground] 113
playgroup grupo m infantil 113
playing cards cartas de jogar
playing field quadra m de esportes
playwright escritor(a) m/f 110
please por favor 10
pliers alicate m

plug *(electric)* tomada f
plumber encanador m
pocket dictionary dicionário m de de bolso
point to, to mostrar 11
poison veneno m 141
poisonous venenoso
police polícia f 92, 152; **~ report** boletim m de ocorrência 153; **~ station** delegacia f de polícia 96, 152
pollen count umidade f do ar 122
polyclinic policlínica f
polyester poliéster m
pond lagoa f 107
pony ride passeio m de pônei
pop music música f pop
popcorn pipoca fpl 110
popular popular 157
port *(harbor)* porto m
porter porteiro m 27; carregador m 71
Portugal Portugal 119
Portuguese *(adj.)* português m 11, 110, 126; *(person)* português m/portuguesa f
possible: as soon as ~ o mais depressa possível
possibly possivelmente
post *(mail)* correio m; **~ office** correios mpl 96, 131, 154
post, to *(mail, to)* pôr no correio
postbox *(mailbox)* caixa f do correio 154
postcard postal m, cartão-postal 150, 154, 156
poster cartaz
postman carteiro m
potatoes batatas fpl
pottery cerâmica f
pound *(sterling)* libra f (esterlina) 67, 138
powder puff esponja f de pó de arroz
power failure corte m de energia
power point tomada f
premium *(petrol/gas)* super 87
prescription receita f 140, 141
present *(gift)* presente m
press, to passar

ENGLISH ➤ PORTUGUESE

A-Z

pretty bonito(-a) 101
priest padre m
primus stove fogão m portátil
prison prisão f
private bathroom banheiros mpl privativos
probably provavelmente
prohibited: is it ~? é proibido?
pronounce, to pronunciar 11
properly como deve ser
protestant protestante
pullover pulôver m
public building edifício m público 96
public holiday feriado m nacional
pump bomba f 83; *(gas)* bomba f de gasolina
puncture *(tyre)* furo m 83, 88
puppet show espetáculo m de marionetes/fantoches 113
pure puro(-a)
pure cotton de algodão puro
purple roxo 143
purpose objetivo m
purse porta-moedas m 153
pushchair cadeira f de bebê
put: where can I put …? onde posso pôr…?
put aside, to *(in shop)* pôr de lado
put up: can you put me up for the night? pode-me arranjar acomodações para esta noite?
putting course grama f de golfe

Q

quality qualidade f 134
quantity quantidade f 134
quarantine quarentena f
quartz de quartzo
quay cais m
queen *(cards, chess)* rainha f
question pergunta f
queue, to estar na fila 112
quick rápido(-a) 14
quickly rapidamente 17
quiet sossegado(-a) 14
quieter mais sossegado(-a) 24, 126

R

rabbi rabino m
race *(cars/horses)* corrida f; **track [~course]** hipódromo m
racing bike bicicleta f de corrida
racket *(tennis, squash)* raquete f 115
radio rádio m
rail station estação f ferroviária
railroad ferrovia f
rain, to chover 122
raincoat gabardine f 144
rape estupro m 152
rare *(unusual)* raro(-a); *(steak)* malpassado(-a)
razor navalha f; **~ blades** lâminas fpl de barbear 142
re-enter, to voltar a entrar
read, to ler
ready, to be estar pronto(-a) 89, 137, 151; **are you ready?** está pronto?
real *(genuine)* legítimo 149
real estate agent corretor m de imóveis
receipt recibo m f 32, 89, 136, 137, 151
reception *(desk)* recepção f
receptionist recepcionista m/f
reclaim tag comprovante m da reclamação 71
recommend, to indicar 21, 35, 141; **can you ~ …?** pode me indicar-…? 97; **what do you ~?** o que me sugere? 37
red vermelho 143; **~ wine** vinho m tinto 40
reduction desconto m 24, 74
refreshments serviço m de bar
refrigerator geladeira f 30
refund reembolso m 137
refuse tip lixeira f
region região f 106
register receipt recibo m
registration form ficha (de registro)
registration number número da placa f (de automóvel) 23, 88, 93
registration plate placa f (de automóvel)
regular *(gas/petrol)* normal 87; *(size)* médio(-a) 110
religion religião f
remember: I don't ~ não me lembro

ENGLISH ➤ PORTUGUESE

rent, to alugar 86; **for ~** para alugar
rental car carro m alugado 153
repair, to arranjar 89; consertar 137
repairs reparos mpl 89, consertos mpl 137
repeat, to repetir 94, 128; **please repeat that** repita, por favor 11
replacement part estepe m 137
report, to registrar uma ocorrência 152
representative guia m 27
required, to be ser necessário 112
reservation marcação f, reserva f 22, 68, 77, 112
reservation desk guichê m de reservas 109
reserve, to reservar 36, 74, 109
rest, to descansar
restaurant restaurante m 35
restrooms banheiros mpl 26, 29; wc m
return, to *(come back)* voltar, regressar 75; *(surrender)* devolver
reverse the charges, to *(call collect)* chamada f a cobrar 127
revolting horrível 14
right *(correct)* certo(-a), correto(-a) 14, 77, 79, 94; **~ of way** prioridade 93; permitida a passagem 106; **on the ~** à direita 76, 95; **~-hand drive** condução f à direita
ring anel m 149
river rio m 107
river cruise cruzeiro m em rio 81
road estrada f 94, 95; **~ accident** acidente m rodoviário; **~ assistance** assistência f na estrada; **~ signs** placas fpl de trânsito 96
roasted assado(-a)
robbed, to be ser roubado(-a) 153
robbery roubo m
rock climbing alpinismo m
rock concert concerto m de rock
rocks rochas fpl
roller blades patins m em linha
rolls pãezinhos mpl 160
romance *(film/play)* romance m
romantic romântico(-a) 101
roof *(house/car)* telhado m
roof-rack porta-bagagens m

rook *(chess)* torre f
room quarto m 21; **~ service** serviço m de quarto 26
rope corda f
round redondo(-a) 134
round *(golf)* jogo m/round m 115;
it's my ~ é a minha rodada
roundabout rotunda f
round-trip ticket bilhete m de ida e volta 65, 68, 74, 79, 81
route caminho m 106
rowing remo m
rowboat barco m a remo 116
rude, to be ser malcriado(-a)
ruins ruínas fpl 99
run into, to *(crash)* chocar 93
run out, to *(fuel)* acabar-se 88
rush hour horário m de pico

S

safe *(lock box)* cofre m; *(not dangerous)* sem perigo 116
safety segurança f 65
safety pins alfinetes mpl de segurança
sailboard windsurfe m
sailboarding praticar windsurfe
sailboat um barco m a vela 116
salad salada f
sales rep representante m de vendas
salt sal m 38, 39
same mesmo(-a); **the ~ again** torne a me dar o mesmo
sand areia f; **sandy** *(beach)* de areia 116
sandals sandálias fpl 145
sandwich sanduíche f 40
sanitary napkins absorventes mpl higiênicos 142
satellite TV TV por satélite
satin cetim m
satisfied: I'm not satisfied with this não estou satisfeito(-a) com isto
sauce molho 38
saucepan caçarola f 29
sauna sauna f 22

ENGLISH ➤ PORTUGUESE

A-Z

sausage salsicha f 160
saw (*tool*) serra f
say, to dizer; **how do you say…?** como se diz…?; **what did he say?** o que é que ele disse?
scarf lenço m de pescoço 144
schedule horário m 75
scheduled flight vôo m previsto
school escola f
scientist cientista m/f
scissors tesoura f 148
scooter scooter f (motoneta)
Scotland Escócia f 119
Scottish escocês m, escocesa f
scouring pad esfregão m
screw parafuso m
screwdriver chave f de fenda
scrubbing brush escova f
scuba-diving mergulho m
sculptor escultor(a)
sea mar m 107
seafront área f de cidade à beira-mar
seasick, I feel sinto-me enjoado(-a)
season ticket passe m
seasoning tempero 38
seat lugar m 74, 77, 109
second class (*em*) segunda classe 74
secondhand de segunda mão
secondhand shop loja f de artigos usados
secretary secretária f
security guard segurança m
sedative sedativo m
see, to ver 24, 37, 93; ~ **someone again** voltar a ver alguém 126
self-catering férias independentes 28
self-employed, to be ser trabalhador autônomo 121
self-service auto-serviço 87
sell, to vender
send, to mandar 88, 155
senior citizen aposentado(-a) 74
separated, to be estar separado(-a) 120
separately separado 42
serious grave/sério(-a)
service (*religious*) culto m
service charge serviço m
service station (*gas station*) posto m de gasolina 87
set menu cardápio m fixo 37
sex (*act*) sexo m
shade tom m 143
shady com sombra
shallow pouco fundo
shampoo xampu m 142
shape feitio m
share, to (*room*) partilhar
sharp afiado
shatter, to (*glass*) estilhaçar-se
shaver barbeador m elétrico; ~
socket tomada f para o barbeador
shaving brush pincel m de barba
shaving cream creme m de barbear
she ela
sheath (*contraceptive*) preservativo m
sheet (*bed*) lençol m 28
shelf prateleira f
ship navio m 81
shirt camisa f 144
shock (*electric*) choque m elétrico
shoe: shoes sapatos mpl 145; ~ **cleaning service** serviço m de limpeza de sapatos; ~ **laces** cadarços mpl; ~**maker** sapateiro m; ~ **polish** graxa f de calçado; ~ **repair** conserto m de sapatos; ~ **store** sapataria f 131
shop loja f
shop assistant balconista m/f
shopkeeper dono(-a) da loja
shopping area zona f comercial 99
shopping basket cesto m de compras
shopping mall [centre] centro m comercial 130
shopping list lista f de compras
shopping cart [trolley] carrinho m de compras
shopping, to go ir às compras
shore (*sea/lake*) costa/margem f
short curto 146
shorts calções mpl 144
show espetáculo m 97
show, to mostrar 18, 106, 133
shower chuveiro m 26, 30; ~ **gel** sabonete líquido m
shrunk: they've ~ encolheram

ENGLISH ➤ PORTUGUESE

shut fechado(-a) 14
shy envergonhado(-a)
sick: I'm going to be ~ vou vomitar
sickbay *(ship)* enfermaria f
side *(of road)* lado m 95
side order à parte 38
side street transversal f 95
sidewalk, on the no passeio
sights lugares mpl interessantes
sightseeing tour circuito m turístico 97
sightseeing, to go visitar os lugares interessantes
sign sinal m
signpost placa f de sinalização
silk seda f
silver prata f 149; **~ plate** folheado m a prata 149; **~ ware** talheres mpl
similar, to be ser parecido com
since *(time)* desde
singer cantor m/cantora f 157
single individual 81; **~ room** quarto m individual 21; **to be ~** ser solteiro(-a) 120
sink pia f
sister irmã f 120
sit, to sentar(-se) 77, 126; **~ down, please** sente-se, por favor
six-pack of beer embalagem f de seis cervejas 160
size número m/tamanho m 115, 146
skates patins mpl
skating rink rinque m de patinação
skid: we skidded derrapamos
skiing esquiar
skin-diving equipment equipamento m para pesca submarina
skirt saia f 144
skis esquis mpl
sleeping bag saco m de dormir 31
sleeping car vagão-leito m 77
sleeping pill pílula f para dormir
sleeve manga f
slice fatia f 159
slide film filme m para *slides*
slip *(undergarment)* combinação f
slippers pantufas fpl 145
slope *(ski)* rampa f
slow lento(-a) 14

slow down! desacelere!
slowly (speak) devagar 11, 17, 94, 128
small pequeno(-a) 14, 24, 40, 134
small change troco m
smell: there's a bad ~ aqui há mau cheiro
smoke, to fumar 126; **I don't ~** não fumo
smoking (area) fumantes 36, 69
smoky: it's too ~ está cheio de fumaça
snack bar lanchonete f, cafeteria f 73
snacks refeições rápidas
sneakers tênis mpl
snorkel snorkel m
snow neve f
snow, to nevar 122
snowed in, to be estar bloqueado pela neve
soaking solution *(contact lenses)* solução f para imersão
soap sabonete m 142
soap powder sabão m em pó
soccer futebol m 114
socket tomada f
sock meia curta f 144
sofa sofá m
sofa-bed sofá-cama m
soft drink (soda) refresco m 110; bebida f não-alcoólica/gasosa 160
solarium solário m
sold out (a lotação) esgotada 108
sole *(shoes)* sola f
soluble aspirin aspirina f solúvel 141
someone alguém 16
something alguma coisa 16
sometimes às vezes 13
son filho m 120, 162
soon em breve 13
sore throat dor f de garganta 141
sore: it's ~ doer: dói
sorry! desculpe/perdão!
sort gênero m 134; **a sort of...** uma espécie de...
sour azedo(-a) 41
south sul m 95
South Africa África f do Sul

ENGLISH ➤ PORTUGUESE

A-Z

South African sul-africano(-a)
souvenir lembrança f 98, 156; **~ guide** guia m turístico 156; **~ shop** loja f de lembranças 131
spa estância termal/termas fpl [spa f]
space lugar/espaço 30
spade *(shovel)* pá f 157
spades *(cards)* espadas
Spain Espanha f
spare *(extra)* estepe
speak, to falar 11, 41, 67, 128; **do you ~ English?** fala inglês? 11
special rate tarifa f especial 86
special requirements pedidos mpl especiais 39
spectacles óculos mpl
speed limit limite m de velocidade
speed, to ir em excesso de velocidade 93
spell, to soletrar 11
spend, to gastar
spin-dryer *(clothes)* secadora m
sponge esponja f 148
spoon colher f 39, 41, 148
sport esporte m 114
sport: ~ club clube m desportivo; **~ stadium** ginásio m de esportes
sporting goods store loja f de artigos de esportivos 131
spring primavera f 219
square quarteirão 134
squash *(game)* squash m
stadium estádio m 96
stain mancha f
stainless steel aço m inoxidável
stairs escadas fpl
stale seco(-a)
stalls *(theater)* platéia f
stamp selo *m* 150, 154
stand in line, to estar na fila 112
standby ticket bilhete m de reserva
start início m
start, to começar 88, 112
starter entrada, aperitivo m
statement *(legal)* depoimento m 93; *(bank)* extrato m

station estação f 73, 78, 96
station wagon van f
stationer papelaria f
statue estátua f
stay estada f 32
stay, to ficar 23
stereo estéreo m
sterilizing solution solução f esterilizante
stern *(ship)* popa f
still: I'm ~ waiting ainda estou à espera
stocking meia f 144
stolen, to be ser roubado(-a) 71
stop *(bus/tram)* parada f 79, 80
stop, to parar 77, 78, 84, 98; **~ here** pare aqui 84
stopcock torneira f de segurança
stopover escala f
storekeeper dono(-a) de loja
store guide planta f de loja 132
straight ahead sempre em frente 95
strange estranho(-a)
straw *(drinking)* canudinho m
strawberry *(flavor)* morango 40
stream ribeirão m/correnteza f 107
string corda f
striped *(patterned)* listado(-a)
stroller cadeira f de bebê
strong *(potent)* forte
store loja f
student estudante m/f 74, 100
study, to estudar 121
stupid: that was ~! isso foi idiotice!
styling mousse musse f para o cabelo
subway metrô 80; **~ station** estação f de metrô 80, 96; *(underpass)* passagem f subterrânea 96
suede camurça f
sugar açúcar m 38, 39
suggest, to sugerir 123
suit terno m 144
suitable próprio(-a) 140
sun block protetor m solar 142
sun lounger cadeira f para banho de sol
sunbathe, to tomar banho de sol
sunburn queimadura f de sol 141
sundeck *(ship)* solário m
sunglasses óculos mpl de sol 144
sunshade *(umbrella)* chapéu m de sol 117

suntan lotion creme m de bronzear, bronzeador m
super *(gas/petrol)* super 87
superb soberbo(-a) 101
supermarket supermercado m 131, 158
supplement *(extra charge)* suplemento m/taxa f
suppository supositório m
sure: are you ~? tem certeza?
surfboard prancha f de surfe
surname sobrenome m
sweatshirt sweatshirt m blusa f de moletom 144
sweet *(taste)* doce
sweets *(candy)* balas fpl 150
swim, to nadar 116
swimming natação f 114; **~ pool** piscina f 22, 26, 116; **~ trunks** calções mpl de banho 144
swimsuit maiô m de banho 144
switch interruptor m
switch on, to ligar
switch off, to desligar
swollen, to be estar inchado(-a)
synagogue sinagoga f
synthetic sintético

T **T-shirt** camiseta f 144, 156
table mesa f 36, 112; **~ cloth** toalha f de mesa; **~ tennis** pingue-pongue m
tablet comprimido m 140
tailback *(traffic)* fila f de trânsito
take away, to para levar 40
take photographs, to tirar fotografias 98, 100
take someone home, to acompanhar alguém a casa
take, to *(carry)* levar 71; *(medicine)* tomar 140; *(room)* ficar 24; *(time)* demorar 78; *(buy)* **I'll take it** levo 135
talcum powder talco m 142
tall alto(-a) 14
tampons tampões mpl higiênicos 142
tan bronzeado m
tap *(faucet)* torneira f 25

taxi táxi m 70, 71, 84; **~ driver** motorista m/f de táxi; **~ stand [rank]** ponto m de táxi 96
tea chá m 40; **~ bags** saquinhos mpl de chá 160
tea towel pano m de prato 156
teacher professor(a)
team time m 114
teaspoon colher f de chá 140, 148
teat *(for baby)* chupeta f
teddy bear urso m de de pelúcia 57
telephone telefone m 22, 70, 92, 127; **~ bill** conta f telefônica; **~ booth [box]** cabine f de telefone [orelhão m] 127; **~ calls** telefonemas 32; **~ directory** lista f telefônica; **~ number** número m de telefone 127
telephone, to telefonar
television televisão f 25
tell, to dizer 18, 79; **tell me** diga-me
temperature temperatura f
tennis tênis m 114; **~ ball** bola f de tênis; **~ court** quadra f de tênis 115
tent tenda f 30, 31; **~ pegs** cavilhas fpl 31; **~ pole** estaca f 31
terminus estação f
thank you obrigado(-a) 10; **thanks for your help** obrigado(-a) por sua ajuda 94
that que; **~ one** esse, essa 16, 134; *(more distant)* aquele, aquela
that's all é tudo 133
theater teatro m 96, 99, 110
theft roubo m 153
their(s) seus/suas, deles/delas 16
them eles/elas 16
theme park parque m temático
then *(time)* então/depois 13
there ali 17
there is ... há... 17
thermometer termômetro m
thermos bottle [flask] garrafa f térmica
these estes, estas 134
they eles/elas
thick grosso(-a) 14
thief ladrão m, ladra f
thin fino(-a) 14

ENGLISH ➤ PORTUGUESE

A-Z

think, to pensar 135; **I think** creio 42; acho 77
thirsty com sede
this one este/esta 16, 134
those *(close by)* esses/essas 134; *(more distant)* aqueles/aquelas 134
thread linha f
throat lozenges pastilhas fpl para a garganta
through pelo/pela/através de
ticket bilhete m 68, 69, 74, 75, 77, 79, 80; **~ machine** posto m de venda de bilhetes; **~ office** bilheteria f 73
tie gravata f
tight apertado(-a) 146
tights collant m 144
till receipt recibo m
time horas fpl 76, 78; **free ~** tempo m livre 98
tin foil papel m de alumínio
tin opener abridor de latas m 148
tinted *(glass/lens)* escuro(-a)
tipping gorjetas fpl 42
tire [tyre] pneu m 83
tired, to be cansado, estar
tissues lenços mpl de papel 142
to *(direction)* para 12
toaster torradeira f
tobacco tabaco m
today hoje 124
together junto(-a) 42
toilet *(item)* vaso m sanitário
toilet paper papel m higiênico 25, 142
toll pedágio m
tomorrow amanhã 84, 124, 218
tongs tenazes fpl
tonic water água f tônica
tonight hoje à noite 110, 124; **for ~** para hoje à noite 108
tonsillitis amigdalite f
too *(extreme)* muito 15, 17, 93; *(also)* também; **~ much** demasiado 15
toothache dor f de dentes
toothbrush escova f de dentes
toothpaste pasta f de dente 142
top floor último andar m

tour passeio m/visita f/excursão f; **~ guide** guia m; **~ operator** agência f de viagens 26; **~ representative** guia m turístico 27
tourist o(-a) turista; **~ office** posto m de informações turísticas fpl 97
tow rope corda f de reboque
tow, to rebocar
toward para/na direção de 12
towel toalha f 2 **toweling** pano m turco
tower torre f 99
town cidade f 94; **~ hall** câmara f municipal 99; **~ map** mapa mpl de cidade 150
toy brinquedo m 157
toy and game store loja f de brinquedos 131
track trilho m
tracksuit agasalho m training
traffic trânsito m; **~ jam** engarrafamento m 94; **~ circle** rotatória f
tragedy tragédia f
trail caminho m 106
trailer trailer m 30, 81
trailer park parque m de camping
train trem m 75, 76, 77, 80; **~ station** estação f ferroviária 73
train times horário m de trens 75
tram bonde m 78, 79
transfer transferência f; *(transport)* baldeação f
transit, in em trânsito
translate, to traduzir 11
translation tradução f
translator tradutor m
trash *(rubbish)* lixo m 28; **trash can** lixeira f 30
travel agency agência f de viagens 131
travel sickness enjôo m 141
travel, to viajar
traveler's check cheque m de viagens 136, 138
tray tabuleiro m
tree árvore f
trip excursão f 97
trolley carrinho m 158
trouble: I'm having ~ with estou tendo problemas com

ENGLISH ➤ PORTUGUESE

trouser press equipamento f de passar calças
trousers calças fpl 144
truck caminhão m
true: that's not ~ isso não é verdade
try on, to (clothing) provar 146
tube bisnaga f
tunnel túnel m
turn, to virar 95; **~ down** (volume, heat) baixar; **~ off** desligar 25; **~ on** ligar 25; **~ up** (volume, heat) aumentar **turn [turning]** curva f
TV tevê f 22; **~ room** sala f de televisão 26
tweezers pinça f
twin beds duas camas fpl 21
type tipo m 109; **what ~?** que tipo? 112
tyre pneu m 83

U

ugly feio(-a) 14, 101
United Kingdom Reino m Unido
ulcer úlcera f
umbrella (parasol) chapéu m de sol 117; (rain) guarda-chuva m
uncle tio m 120
unconscious, to be perder os sentidos 92, 162
under (place) debaixo de
underdone malcozido(-a) 41
underpants cuecas fpl 144
underpass passagem f subterrânea 96
understand, to compreender 11; **do you ~?** compreende?; **I don't ~** não compreendo 11, 67
uneven (not flat) acidentado 30
unfortunately infelizmente 19
uniform uniforme m
unit unidade f 155
United States Estados mpl Unidos 119
university universidade f 99
unleaded gas gasolina f sem chumbo
unlimited mileage sem limite de quilometragem
unlock, to abrir
unpleasant desagradável 14

unscrew, to desparafusar
until até
upmarket de luxo
upper (berth) superior 74
upset stomach indisposição f gástrica 141
upstairs em cima
up to até 12
us nós; **for ~** para nós; **with ~** conosco
use, to usar, utilizar 139
use uso m 67
useful útil

V

vacancy quarto m vago 21
vacant vago(-a) 14
vacate, to deixar 32
vacation férias fpl 66, 123
vaccination vacinação f
valet service lavagem f e limpeza do interior do carro
valid válido(-a) 75; **not ~** não é válido
validate, to (ticket) validar 79
valley vale m 107
valuable de valor
value valor m 155
vanilla (flavor) baunilha 40
vegetable store quitanda f
vegetables legumes, vegetais 38
vegetarian vegetariano(-a) 35, 39; **to be ~** ser vegetariano(-a)
vehicle veículo m; **~ registration document** os documentos do carro
velvet veludo m
vending machine máquina f de vender
Venezuela Venezuela f
ventilator ventilador m
very muito 17
vest (UK) camiseta f
veterinarian veterinário m
video vídeo m; **~ cassette** videocassete m 157; **~ game** videogame m; **~ recorder** gravador m de vídeo
view vista f; **with a ~ of the sea** com vista para o mar
viewing point mirante m 107

ENGLISH ➤ PORTUGUESE

village vilarejo f 107
vineyard *(winery)* vinha f 107
viniculture vinicultura f
visa visto m
visit visita f
visit, to visitar; **places to visit** lugares para visitar
visitor center centro m de acolhimento
vitamin pills comprimidos mpl de vitamina
voice voz f
volleyball voleibol m 114
voltage voltagem f

W

waist cintura f
wait (for), to esperar 41, 76, 89, 140; **wait!** espere! 98
waiting room sala f de espera 73
wake, to *(self)* despertar; **~ someone** acordar alguém 27
wake-up call chamada f para despertar
Wales País m de Gales 119
walk home, to ir a pé para casa
walk: to go for a ~ ir dar um passeio
walking passear; **~ boots** botas fpl para caminhar 145
walking route caminhada f 106
walking/hiking gear equipamento m desportivo 145
wall parede f
wallet carteira f (de documentos) 42, 153
want, to desejar 18
ward *(hospital)* enfermaria f
warm morno(-a) 14; *(weather)* quente 122
warm, to aquecer
warmer mais quente 24
wash, to lavar
washbasin lavatório m
washing, to do lavar roupa
washing: ~ instructions instruções fpl de lavagem f; **~ powder** detergente m em pó para a roupa 148; **~-up liquid** detergente m líquido para a louça

wasp vespa f
watch relógio m de pulso 153; **~ band [strap]** pulseira f do relógio
watch TV, to ver televisão
water água f 87; **~ bottle** garrafa f de água;
water carrier vasilha f de água; **~ fall** catarata f 107; **~ heater** aquecedor m 28
waterproof à prova de água; **waterproof jacket** impermeável (casaco) m 145
waterskiing esqui m aquático
waterskis esquis-aquáticos mpl 117
wave onda f
waxing depilação f com cera 147
way *(direction)* caminho m 83, 94; **I've lost my ~** estou perdido(-a) 94
we nós
weak fraco(-a); **I feel ~** sinto-me fraco(-a)
wear, to trazer vestido 152
weather tempo m 122; **~ forecast** previsão f do tempo 122
wedding casamento m; **~ ring** aliança f
week semana 23, 24, 97, 218
weekend fim de semana
weekend rate tarifa f de fim de semana 86
weekly *(ticket)* semanal 79
weight: my weight is... eu peso...
welcome to... bem-vindo a...
well-done *(steak)* bem passado
Welsh galês m/galesa f
west oeste m 95
wetsuit roupa m de mergulho
what? quê? 18; **what kind of...?** que variedade de...? 37, que espécie de...? 106
what time? a que horas? 68, 76, 78, 81
wheelchair cadeira f de rodas
when? quando? 13
where? onde? 12, 99; **~ are you from?** de onde é? 119; **~ else...?** onde mais...?
which? qual? 16; **~ stop?** qual é a estação? 80
while enquanto
whist *(cards)* uíste m
white branco(-a) 143; **~ wine** vinho m branco 40

ENGLISH ➤ PORTUGUESE

who? quem? 16
whole: the ~ day todo o dia
whose? de quem? 16
why? Por quê?
wide largo(-a) 14
wife mulher f 120, 162
wildlife animais m e plantas selvagens
window janela f 25, 77; *(store)* vitrine f 149
window seat lugar m à janela 69, 74
windshield [windscreen] pára-brisa 90
windsurfe surfe m a vela 117
windy, to be haver vento 122
wine vinho m 40; **~ list** carta f de vinhos 37; **~ box** caixa m de vinho 160
with com 17
withdraw, to *(money)* sacar 139
without sem 17
wood *(forest)* mata f 107; *(material)* madeira f
wool lã f 145
work, to trabalhar 121; *(function)* funcionar 28, 83, 89; **it doesn't ~** não funciona 25
worry: I'm worried estou preocupado(-a)
worse pior 14; **it's gotten [got] ~** está pior
worst pior m
wrap up, to embrulhar
write down, to escrever 136

write: write soon! escrever: escreva depressa!
writing pad bloco m de papel
wrong errado(-a) 14
wrong number engano m 128

X Y Z

yacht iate m
yellow amarelo 143
yes sim 10
yogurt yogurte m
you você, senhor(a) 118; *(familiar)* tu/ti 16
young jovem 14
your *(singular)* seu/sua; vosso(-a), *(familiar)* teu/tua 16
yours seus/suas, vossos(-as) 16
youth hostel albergue m da juventude 29
zebra crossing faixa f de pedestres
zero zero m
zip(per) zíper m
zone zona f
zoo jardim m zoológico 113; zôo m
zoology zoologia f

ENGLISH ➤ PORTUGUESE

Dictionary
Portuguese–English

This Portuguese–English Dictionary covers all the areas where you may need to decode written Portuguese: hotels, public buildings, restaurants, stores, ticket offices, and on transportation. It will also help with understanding forms, maps, product labels, road signs, and operating instructions (for telephones, parking meters, etc.).
If you can't locate the exact sign, you may find key words or terms listed separately.

A

abadia abbey
abajur lampshade
aberto open
aberto 24 horas 24-hours service
aberto a noite inteira open all night
aberto diariamente open daily
abra aqui open here
abril April
acenda os faróis switch on headlights
acesso para deficientes físicos access for handicapped
acesso reservado a funcionários staff only
acesso só a residentes access for residents only
acesso único access only
acessórios de automóveis car accessories
achados e perdidos lost property
acidentes casualty
acomodação accommodations
acostamento hard-shoulder
açougue butcher
acrílico acrylic
açúcar sugar
adega cellar
admissão admission
adoçante natural natural sweetener
adro da igreja churchyard
aerobarco hovercraft/hydrofoil
aeródromo airfield
aeroporto airport
agência de câmbio currency exchange office [bureau de change]

agência de viagem/viagens travel agent
agite antes de usar shake well before use
agosto August
água-benta holy water
água potável drinking water
aguarde a vez aqui wait here
à la carte a la carte
albergue da juventude youth hostel
aldeia turística holiday village
alfândega customs
algodão cotton
alpinismo mountaineering
alta tensão high voltage
altura máxima headroom
aluga-se for rent
aluga-se apartamento apartment to rent
alugam-se carros car rental
alugam-se quartos rooms to rent
aluguel de bicicletas bicycle rental
amanhã tomorrow
ambulância ambulance
anfiteatro, operatório operating room
ano-novo New Year's Day
antiguidades antiques
ao ar livre open air
apenas para uso externo not for internal consumption
aperitivos snacks
aperte o cinto fasten your seatbelt
aperte o botão para sair press the button to get off
após as refeições after meals
apresente identidade proof of identity required

à prova d'água waterproof
aproximação de cruzamento crossroads ahead
aproximação de estrada com preferência yield [give way]
aproximação de rotatória traffic circle [roundabout]
aproximação de túnel tunnel ahead
área construída built-up area
área de camping campsite
área de estacionamento parking lot [car park]
área para piquenique picnic area
areia sand
areia movediça quicksand
armazém department store
arroz rice
artigos a declarar goods to declare
artigos de free-shop duty-free goods
artigos de informática computer goods
artigos desportivos sports goods
artigos fotográficos photographic goods
artigos para animais pet store [shop]
artigos para bebês children's clothes and goods
assinatura signature
atalho cutting/wayside
à tarde p.m.
atendimento admissions
atendimento ao cliente customer service
atração turística tourist feature
atrasado delayed
atravesse agora cross now
auto-escola driving school
auto-estrada highway [motorway]
automóvel car/automobile
avariado out of order
avarias breakdown services
avião plane
aviso warning

B **bagagem** baggage
baía bay
bailarino dancer
balcão de registro check-in counter
balcão de informações information desk
balcão dress circle *(theater)*
balé ballet
balsa ferry
banca de jornal newsagent
banco bank
bandeira flag *(special rate)*
banheiros bathrooms/restrooms [toilets]
banho bath/bathroom
barbeiro barber
barco boat
barco salva-vidas lifeboat
basquetebol basketball
bebidas drinks
bebidas (não) incluídas drinks (not) included
beco cul-de-sac
beisebol baseball
bem-vindo welcome
biblioteca library
bicicleta bicycle
bilhete de embarque embarkation card
bilhete de ida e volta round-trip [return] ticket
bilhete duplo round-trip [return] ticket *(subway)*
bilheteria ticket office
bilhetes tickets
bilhete simples/unitário (metrô) one-way [single] ticket *(subway [metro])*
bilhete só de ida one way [single] ticket
bolachas cookies [biscuits]
bolos e doces cakes and candies
bomba pump
bomba de gasolina filling station
bombeiros fire department [brigade]
bonde tram, streetcar
botas de esqui ski boots
boxe boxing
brasileiro(-a) Brazilian
brinquedos toys
butique boutique

C **cabaré** cabaret
cabeleireiro hairdresser
cabina dupla double cabin

A-Z

cabina simples single cabin
cachoeira waterfall
café coffee/coffee shop
café da manhã breakfast
cafezinho coffee
cais docks/quay
caixa rápido express checkout
caixa cashier
calçado shoes
calçados ortopédicos orthopedic shoes
cálcio calcium
calculadora calculator
calorias calories
cama extra extra bed
câmara municipal town hall
câmbio currency exchange office/exchange rate
caminhão truck
caminho path
caminhonete coach
camping campsite
campo de batalha battle site
canal canal
cancelado canceled
candeeiros lamps
canoagem canoeing
capela chapel
cardápio menu
carnaval carnival
carne meat
carro car
cartão telefônico phone card
carta registrada registered letter
carteira wallet
casa house
casa de câmbio currency exchange office [bureau de change]
cassete cassette
castelo castle
catedral cathedral
cavalo horse
caverna cave
cave cellar
cemitério cemetery
centavo cent
central in the center of the town
centro comercial shopping mall
centro da cidade downtown area
centro esportivo sports center

cereais cereals
cerveja beer
chá tea
chalé cottage
chegadas arrivals
churrasco barbecue
chuveiro shower
ciclistas cyclists
ciclovia cycle track
cidade city
cidade antiga/histórica old town
cigarros cigarettes
cinema movie theater [cinema]
circo circus
cirurgia surgery
clínica de saúde health clinic
cobre copper
código de área area code
colete salva-vida life jacket
colina hill
coloque as moedas solicitadas/o cartão insert required coins/card
com banheiro with bathroom
com chumbo leaded
com cozinha with cooking facilities
com piscina with swimming pool
com (satélite) TV with (satellite) TV
com retorno returnable
com vista para o mar with sea view
combustível fuel
comida típica local specialties
completo full (up)
comprimidos pills/tablets
computador computer
comunhão communion
concerto de música clássica classical music concert
concerto pop pop concert
condicionador conditioner
confeitaria baker/pastry shop/confectioner's
congelado frozen
conserto de calçados shoes repairs
consertos repairs
conservar em geladeira keep refrigerated
conservas preserves
conserve o bilhete please retain your ticket

consulte seu médico antes de usar consult your doctor before use
consultório consulting room
consumir antes de... best before... days
conteúdo contents
controle de passaportes passport check/control
convento convent
córrego stream
correio(s) post office
correio expresso express mail
correio normal regular mail
corte aqui cut here
cosméticos cosmetics
costa coast
couro leather
crianças children
Cruz Vermelha Red Cross
cruzamento crossing/crossroads
cruzeiros cruises
cuidado caution
cuidado com a bolsa beware of pickpockets
cuidado com o cão beware of the dog
cuidado com o degrau watch your step
cuidado, escola caution, school
cuidados intensivos intensive care
cume peak
curva perigosa dangerous bend

D **dança** dance
data date
data de nascimento date of birth
data de validade do cartão de crédito credit card expiration [expiry] date
de manhã a.m.
de preferência antes de... best before...
deixe o carro em primeira leave your car in first gear
delegacia de polícia police station
delicatéssen delicatessen
dentista dentist
depilação com cera waxing
depósito refund
depósito de bagagem baggage check
deque de cabines cabin deck
deque inferior lower deck
deque superior upper deck
descartável disposable
descontos reductions
desembarque arrivals
desembarque pelo lado direito/esquerdo do trem exit by left/right side of the train
deserto desert
desligar/desligue o motor turn off your engine
desnatado skimmed *(milk)*
destino destination
desvio detour [diversion]
detergente detergent
devagar slow
devolução refund
dezembro December
dia da independência independence day
dia de ano-novo New Year's Day
dia do trabalho Labor Day
diária room rate
dias úteis weekdays
dicionário dictionarie/reference
dieta/dietético diet
dietéticos dietary/health *(food)*
dique dam
direção management
dirija com cuidado drive carefully
discoteca music store
disque... para obter linha dial... for an outside line
disque... para recepção/portaria dial... for reception
dissolva em água dissolve in water
distância aproximada em km approximate distance in kilometers
doca docks
doceria pastry/cake shop
documentos de registro registration papers
domingo Sunday
Domingo de Páscoa Easter Sunday
Domingo de Ramos Palm Sunday
doces desserts/candy
drogaria drugstore
duas estrelas two-star
duna dune

PORTUGUESE ➤ ENGLISH

A-Z

E € euro
ecológico ecologic
eletrodomésticos electrical appliances
elevador elevator
embaixada embassy
embalado em... packaged in...
embalagem sem retorno non-returnable
embalagens packages
embarcadouro docks/quay
embarque departures/embarkation point
embarque imediato boarding now
em construção under construction
emergência emergency (services)
em pó powdered
empurre/empurrar push
em serviço occupied
encosta perigosa dangerous slope
endereço address
endereço comercial business address
endereço residencial/do domicílio home address
enfermaria (hospital) section [ward]
enlatados canned goods
enseada bay
entrada entrance/way in
entrada gratuita/grátis/livre admission free
entrada pela porta dianteira/traseira enter by the front/rear door
entrada proibida no entry
entrada proibida a estranhos trespassers will be prosecuted
entradas starters
entrega de bagagem baggage claim
entregas deliveries
envio de fax faxes sent
equipamento de mergulho diving equipment
equipamentos eletrônicos electronic goods
equitação horseback riding
ervanário health food store
escada rolante escalator
escadas stairs
escalar climbing
escarpa cliff/escarpment
escavações arqueológicas excavations
escola school
escolha o destino/zona select destination/zone *(instruction)*
escolha você mesmo pick and mix
especialidade da casa specialty of the house
especialidades da região local specialties
espectadores spectators
espere pelo sinal wait for tone
espetáculo show/performance
esporte sport
esquiação skiing
esqui aquático waterskiing
esquis skis
esquis aquáticos water skis
estação station
estação de metrô subway station
estação ferroviária train station
estação rodoviária bus [coach] station
estacionamento parking lot [car park]
estacionamento de trailers trailer [caravan] site
estacionamento para clientes customer parking
estacione aqui park here
estádio stadium
estância turística tourist resort
estanho can
esta noite this evening
estátua statue
estrada road
estrada de ferro railway
estrada em construção road under construction
estrada bloqueada road closed
estrangeiro foreign
estréia premiere
estreitamento de rua narrow road
estuário estuary
exceto aos domingos e feriados except Sundays and bank holidays
exceto feriados except for holidays
exceto veículos de carga except heavy vehicles
exclusivo para pedestres pedestrians only
exclusivo para pessoal autorizado authorized vehicles only
exclusivo para residentes residents only

exige-se a identificação proof of identity required
exposição fair/art exhibition
extintor (de incêndios) fire extinguisher

F
fábrica factory
fabricado em... made in...
fala-se inglês English spoken
farmácia drugstore
farol lighthouse
favor fechar a porta please shut the door
favor não tocar please do not touch
favor tocar a campainha please ring the bell
fazenda farm
fazenda de turismo rural family-owned farm providing accommodations
fechado closed/day off
fechado até... closed until ...
fechado para almoço closed at lunch time
fechado para férias closed for vacation [holiday]
fechado para obras closed for repairs
fechar/feche a porta close the door
feira fair/market
feira popular amusement park
feito à mão handmade
feito a pedido made-to-order
feito sob medida made-to-measure
feriado nacional national holiday
ferroviário railroad
fevereiro February
fila única stay in lane
filme film (*camera*)
fim das obras end of roadwork
fim de auto-estrada end of highway [motorway]
fim de saldos closing down sale
fim do desvio end of detour [diversion]
floresta forest
florista florist
fogos de artifício fireworks
fonte fountain/spring
fortaleza fortress
forte fort
fortes rajadas de vento gales

fotocópias photocopies
fotografia photographic store/photography
foz river mouth
fraldas diapers [nappies]
free shop duty-free
freio brake
freio de emergência emergency brake
frente front
fresco fresh
fronteira border crossing
fruta fruit
fumantes smoking (area)
futebol soccer [football]
futebol americano American football

G
galeria balcony
galeria de arte art gallery
garagem garage
garantia guarantee
gasolina gas
genuíno genuine
gerente manager
ginásio fitness room
golfe golf
gotas drops
grátis/gratuito free
grelha de churrasco barbecue
grelhados grilled
gruta cave
guarda-sol sun umbrella
guias de viagem travel guides
guichê de venda de selos stamps sold here

H
handebol handball
helicóptero helicopter
hipermercado hypermarket
hipismo horseback riding
hipódromo racetrack [racecourse]
hoje today
homens men
hóquei hockey
hóquei no gelo ice hockey
horário timetable

PORTUGUESE ➤ ENGLISH

A-Z

horário comercial hours [business] hours
horário das refeições meal times
horário de abertura opening hours
horário de coleta times of collection
horário de verão summer hours
horário de visitas visiting hours
24 horas por dia 24-hour service
hospital hospital
hotel hotel
hotel-fazenda farmhouse hotel

I
ida e volta round-trip [return]
igreja church
ilha island
incluído included
incluso no preço included in the price
indicado para vegetarianos suitable for vegetarians
indicativo code
inflamável inflammable
informações information
informações a clientes customer information
informações turísticas tourist information
ingredientes ingredients
início de auto-estrada highway [motorway] entrance
inquebrável unbreakable
inserir o cartão insert card
instruções para uso instructions for use
integração 1 subway + 1 bus trip
integral wholewheat (*bread*)
interditado ao trânsito traffic-free zone
internacional international
introduza as moedas insert coins
introduza a ficha insert token
inverno winter

J
janeiro January
jardim garden
jardim botânico botanical garden
jardim zoológico zoo
joalheria jeweler
jogo match
julho July
junho June

L
lã wool
lago lake/pond
lancha motorboat
lanches snacks
largo square
laticínios dairy products
lavagem de carros car wash
lavagem de roupa laundry facilities
lavanderia laundromat
lavanderia a seco dry-cleaner
lavar a seco dry-clean only
lavável à máquina machine washable
lembranças souvenirs
lençóis bed linen
ligação gratuita toll-free
ligações internacionais international calls
ligações interurbanas regional calls
ligações locais local calls
limite da cidade city limits
limite de bagagem baggage allowance
limite de carga load limit
limpeza cleaning
língua language
línguas estrangeiras foreign languages
linha platform
linha de bonde streetcar [tramway]
linha férrea railroad [railway]
liquidação clearance [sale]
líquido liquid
lista menu
lista de preços price list
lista telefônica directory
litoral coast
livraria bookstore
livre vacant/free
local de embarque embarkment point
local de nascimento place of birth
loção pós-barba after-shave lotion
loção pós-sol after-sun cream
loja de antiguidades antiques store

loja de artigos esportivos sporting goods store
loja de brinquedos toy store
loja de departamentos department store
loja de presentes gift store
lojas duty-free duty-free store
lotação esgotada sold out
loteria lottery
louça china
lubrificação lubrication
lugar ao lado da asa aisle seat
lugar de orquestra orchestra seat
lugar na janela window seat
lugar n.º seat number
luxo luxury

M **madeira** wood
maestro conductor
magro fat-free/lean
maio May
malas luggage/suitcases
manejar com cuidado handle with care
mantenha-se à direita/esquerda keep to the right/left
mantenha congelado keep frozen
mantenha distância keep clear
mantenha fora do alcance de crianças keep out of reach of children
mapa da cidade city map
mapa dos arredores area map
máquina automática automatic machine
máquina fotográfica camera
mar sea
março March
marionetes puppet show
massas noodles, pasta and spaghetti
mata wood
mata-burro cattlegrid
material fotográfico photographic equipment
maternidade maternity
meia entrada half price ticket
meia pensão half board
menu menu
mercado market
mercadorias goods
mercadorias isentas de imposto duty-free goods

mercearia grocer
mergulhar diving
mesas no andar superior seats upstairs
metrô subway
mina mine
mirante viewpoint
missa mass
missal prayer book
mobiliário furniture
moda feminina ladieswear
moda infantil childrenswear
moda masculina menswear
modo de usar instructions for use
moeda comprada por... currency bought at...
moeda estrangeira foreign currency
moedas coins
moeda vendida por... currency sold at...
moinho mill
moinho de vento windmill
molhada wet
montanha mountain
montanhismo mountaineering
monte mount/hill
monumento monument
monumento comemorativo (war) memorial
morro hill
mosteiro monastery
moto de montanha dirt (motor)bike
motorizada motorcycle
móveis furniture
MPB (música popular brasileira) MPB (popular Brazilian music)
mudar change
mudar para... change at...
mulheres women
múltiplo de 10 10 trips *(subway [metro])*
múltiplo de 2 round-trip [return] *(subway [metro])*
muralha wall
muro wall
museu museum
música music
música ao vivo live music
música clássica classical music
música folk folk music
música pop pop music

PORTUGUESE ➤ *ENGLISH*

A-Z

N

nacional national
nacionalidade nationality
nada a declarar nothing to declare
não abrir a janela do not open the window
não abrir em movimento do not open while (the train is) moving
não aceitamos cartões de crédito no credit cards
não aceitamos cheques no checks [cheques]
não aceitamos devoluções no refunds
não bloqueie a entrada do not block entrance
não buzine use of horn prohibited
não debruce nas janelas do not lean out of windows
não deixe objetos de valor no (seu) carro do not leave valuables in your car
não desbota colorfast
não é permitida a entrada de crianças com menos de... no children under ...
não entrar durante o serviço/a apresentação no entry during services
não entre keep out
não estacionar em frente do not block entrance
não falar com o condutor do not talk to the driver
não fumantes non-smokers
não fumar no smoking
não funciona out of order
não inclui/incluído exclusive
não inclui serviço no service charge included
não ingerir not for internal consumption
não jogue papel no vaso sanitário don't put paper in the toilet
não lavar à máquina handwash only
não passar a ferro do not iron
não perturbe do not disturb
não pise na grama keep off the grass
não se aproxime keep clear
não tire fotografias no photography
não tocar do not touch
não trocamos mercadorias goods cannot be exchanged
não ultrapasse no passing [overtaking]
não use flash no flash photos
Natal Christmas
navegação a vela sailing
navio ship
nome name
nome da esposa/do marido name of spouse *(wife/husband)*
nome da mãe mother's name
nome de família last name
nome de solteira maiden name
nome do pai father's name
nome dos pais parents' names
novembro November
novo new
número da placa do automóvel license plate [registration] number
número de telefone telephone number
número de vôo flight number
número do cartão de crédito credit card number
número do passaporte passport number

O

obras construction [roadworks]
ocupado occupied/engaged
oferta especial special offer
oficina office
oftalmologista optician
óleo oil
ônibus bus/coach
ônibus direto direct service
ônibus elétrico streetcar [tram]
ônibus noturno night service
operador(a) operator
orações prayers
ordem de pagamento money order
orquestra orchestra
orquestra sinfônica symphony orchestra
ourivesaria goldsmith
ouro gold
outono fall [autumn]
outras nacionalidades other nationalities
outubro October

P **paço** palace
padaria baker/bakery
pães bread rolls
pagamento payment
pagar no balcão pay at counter
país de nacionalidade country of nationality
palácio palace
palácio da justiça law court
palco stage
pantomima pantomime
pão bread
papel higiênico toilet paper
papel reciclado recycled paper
papelaria stationery store
para cabelo normal for normal hair
para cabelo oleoso for oily hair
para cabelo seco for dry hair
parada de ônibus bus stop
parada solicitada request stop
para deficientes físicos for handicapped
para diabéticos for diabetics
para dois for two
para microondas microwaveable
parapente gliding
pára-quedas parachuting
para uso externo external use only
pare stop
parede wall/cliff
parque park
parque da cidade city park
parque de diversões amusement park
parque florestal country park
parque indígena Indian reserve
parque infantil kindergarten
parque nacional national park
parque para clientes customer parking
parque privativo private parking
partidas departures
partidas internacionais international departures
Páscoa Easter
passageiros passengers
passagem de nível railroad [level] crossing
passagem de pedestres pedestrian crossing
passagem fechada/interditada pass closed *(mountain)*
passagem interrompida no throughway
passagens ticket office
passaporte passport
passeio walkway
passeio panorâmico scenic route
passeios a cavalo horseback riding
pastilhas lozenges
patinação no gelo ice skating
patins skates
patrimônio público public (building)
pavilhão de esportes sports center
pedágio toll
pedestres pedestrians
pedestres, aguardem o sinal verde pedestrians, wait for the green light
peixaria fish store [fishmonger]
pensão bed & breakfast, guest house
pensão completa full board
percurso alternativo alternative route
percurso alternativo para caminhões alternative truck route
percurso panorâmico scenic route
perigo danger
perigo de avalanches danger of avalanches
perigoso dangerous
pesca fishing
pesca proibida no fishing
pesca somente com autorização fishing by permit only
pico peak
pílulas pills
pingue-pongue table tennis
pintura fresca wet paint
piscina swimming pool
piso escorregadio slippery road surface
pista de corrida racetrack
pista de mão dupla two-way traffic
pista de mão única one-way street
pista de ônibus bus lane
pista dupla dual roadway
pista em mau estado poor road surface
pista escorregadia slippery road
pista fechada/bloqueada road blocked/closed
pista rápida highway [motorway]
pista simples/mão dupla two-way traffic

PORTUGUESE ➤ ENGLISH

A-Z

placa do carro car license plate [registration] number
planador gliding
planetário planetarium
plataformas platforms
platéia stalls
poço well
pode ir ao microondas microwavable
polícia police/police station
polícia de trânsito traffic police
polícia federal immigration control/federal police
polícia rodoviária highway/traffic police
poltrona n.º seat no.
pomada ointment
pomar orchard
ponte bridge
ponte baixa low bridge
ponte estreita narrow bridge
ponte levadiça drawbridge
ponto de encontro meeting place [point]
ponto de luz power point
ponto de ônibus bus stop
ponto de táxi taxi stand [rank]
porcelanas e cristais china and glass
por favor please
porta door
porta de embarque boarding gate
porta de incêndio fire door
porta-moedas purse
portão gate
portas automáticas automatic doors
porteiro (da noite) night porter
porto port/harbor
pôsteres posters
posto de gasolina gas [petrol] station
posto de informações turísticas tourist information office
pousada guest house
povoado village
praça square
praia beach
praia de nudismo nudist beach
prancha de surfe surfboard
prancha de windsurfe windsurfing board
prata silver

prato do dia dish of the day
preço por litro price per liter
preços com imposto incluído all prices include sales tax
prefeitura town hall
preferencial yield [give way]
presentes gifts
primavera spring
primeira classe first class
primeiro nome first name
primeiros socorros first aid
prioridade priority
prioridade a deficientes, idosos e grávidas please give up this seat to the disabled, the elderly, and pregnant mothers
privado private
produtos de limpeza cleaning products
produtos dietéticos/naturais health foods
proibida a entrada no entry
proibida a entrada de pessoas estranhas staff only
proibido(-a) forbidden
proibido acampar no camping
proibido ao trânsito closed to traffic
proibido buzinar use of horn prohibited
proibido estacionar no parking
proibido fazer fogueiras no fires
proibido fotografar no photography
proibido fumar no smoking
proibido jogar bola no ball games
proibido nadar no swimming
proibido pescar no fishing
proibido ultrapassar no passing [overtaking]
proibido usar celular no mobile phone
pronto-socorro/emergência accident/emergency
próximo trem next train
puxe/puxar pull

Q **quadra de esportes** playing field [sports ground]
quantia exata exact fare
quarta-feira Wednesday
quartel de bombeiros fire station
quarto duplo double room

quartos para alugar rooms to rent
quatro estrelas four star
quebrar o vidro em caso de emergência break glass in case of emergency
queda-d'água waterfall
queda de pedras falling rocks
quilômetro kilometer
quinta-feira Thursday
quitanda fruit and vegetable store

R
raios X x-ray
rampa ramp
receita federal customs control
recepção reception
recibo receipt
reciclado recycled
reduções reductions
reduza a velocidade slow down
reembolso refund
refeições meals
refrigerantes soft drinks
regente conductor (music)
relógio de luz electric [electricity] meter
represa dam
reserva de passagens ticket reservations [advance bookings]
reservado reserved
reserva natural nature reserve
reservas reservations [advance bookings]
reservatório reservoir
residencial guest house
respeite este lugar de culto please respect this place of worship
restaurante restaurant
retire o bilhete take ticket
revelação em 2 horas two-hour film processing service
revistas magazines
rezas prayers
rio river
rochedo cliff
rotatória traffic circle [roundabout]
roupa de cama linen
roupa íntima underwear
roupa masculina menswear

rua street/road
rua com sentido único one-way street
rua interditada road closed
rua particular private road
rua principal main road
rua sem saída closed road/no-through road
ruínas ruins

S
sábado Saturday
sabonete soap
saída exit
saída de automóveis/viaturas vehicles exit
saída de caminhões truck exit
saída de emergência emergency exit
sal salt
sala de operações operating room
sala de concertos concert hall
sala de conferências/convenções conference room
sala de espera lounge/waiting room
sala de jantar dining room
sala de jogos game room
saldo sale
salsicharia delicatessen
salva-vidas lifeguards
sapatos shoes
sé cathedral
secador de cabelo hair dryer
seção infantil babywear
seda silk
segunda classe second class
segunda-feira Monday
segundo andar second floor
segundos seconds
segurança security
selos stamps
sem açúcar sugar-free
sem álcool alcohol-free
sem cafeína caffeine-free
sem chumbo unleaded
sem gordura fat-free
sem sal salt-free
semáforo traffic light
semidesnatado semi-skimmed

A-Z

senha ticket
senhoras ladies
serra mountain range
serviço service charge
serviço a clientes customer service
serviço de quarto room service
serviço incluído/não incluído service included/not included
serviço de imigração immigration control
setembro September
setor de achados e perdidos lost-and-found office
sexta-feira Friday
Sexta-Feira Santa Good Friday
silêncio silence
sinaleira traffic light
sinalização provisória temporary traffic lights
sob a responsabilidade do dono at the owner's risk
sobremesas desserts
solário sun lounge
solteiro single (*room*)
somente a dinheiro cash only
somente aos domingos Sundays only
somente aos domingos e feriados Sundays and bank holidays only
somente aparelho de barbear shavers only
somente carga e descarga loading and unloading only
somente com licença permit-holders only
somente dias úteis weekdays only
somente entrada access only
somente ônibus buses only
somente para esquiadores for skiers only
somente para moradores residents only
somente para pedestres pedestrians only
somente para uso externo for external use only
somente sexo feminino women only
somente sexo masculino men only
somente veículos autorizados unauthorized parking prohibited
sopa soup

sos 115 emergency services (*Port.*)
sucos fruit juices
supermercado supermarket
suplemento supplement

T
talheres utensils [cutlery]
tarifa fare/rate
tarifa de pedágio toll fare
tarifa mínima minimum charge
taxa de serviço service charge
táxi taxi
táxi aéreo air taxi
táxi comum shared taxi
taxímetro taxi meter
teatro theater
teatro de arena open-air theater
teatro infantil children´s theater
teatro municipal opera house
tecle... para linha externa dial... for an outside line
tecle... para recepção dial... for reception
teleférico cable car/chair lift
telefone telephone
telefone comercial business phone number
telefone de emergência emergency telephone
telefone público public telephone
telefone residencial home phone number
telefonista operator
telegramas telegrams
temperos seasoning/spices
tênis tennis
tênis de mesa table tennis
terapia intensiva intensive care
terça-feira Tuesday
termas spa
terminal terminal
térreo first floor
tinta fresca wet paint
tipografia printing
tipos de acomodação available accommodations
tocar a campainha please ring the bell
toldo awning
tóxico toxic

tráfego lento slow traffic
trailer trailer
trajeto do ônibus bus route
trampolim diving board
transitar à esquerda/direita keep to the left/right
trânsito impedido closed to traffic
travessia de pedestres pedestrian crossing
trem expresso express train
trem de subúrbio local train
trevo intersection [crossroad]
troca de óleo change of oil
trocar em... change at...
túmulo grave/tomb
túnel tunnel

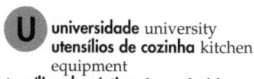

U **universidade** university
utensílios de cozinha kitchen equipment
utensílios domésticos household goods

V **vagão-dormitório** sleeping car
vagão-restaurante dining car
vagas vacancies
vago vacant
vale valley
vale postal money/postal order
válido até... valid/use until...
vara de pesca fishing rod
varanda balcony
vegetais vegetables
veículos vehicles
veículos lentos slow vehicles
veículos longos long vehicles
veículos pesados heavy vehicles
veleiro sailboat
velocidade máxima maximum speed limit
venda de bilhetes ticket office
venda de selos stamps
venda sob prescrição médica sold only under medical prescription
vendem-se cartões de telefone phone cards on sale here
venenoso poisonous
verão summer
vésperas vespers
vestiário changing rooms/ fitting room
via turística scenic route
vidro glass
vidro reciclado recycled glass
vila (small) town
vilarejo village
vinhedo vineyard
vinho do Porto Port *(wine)*
vinhos wines
visitas monitoradas guided tours
voleibol volleyball
vôo número... flight number
voos domésticos domestic flights
vôos internacionais international flights

WXYZ **zona aduaneira** customs zone
zona comercial business district
zona de pedestres/calçadão pedestrian zone [precinct]
zona histórica historic area
zona residencial residential zone

Reference

Numbers	216	Public holidays	219
Days/Months/Dates	218	Time	220
Greetings	219	Maps	222
Seasons	219	Quick reference	224
		Emergency	224

Numbers

GRAMMAR

Note that Portuguese uses a comma for a decimal point and a period [full stop] or space to indicate 000s, e.g. 4,95; 4.575.000 or 4 575 000.

0	**zero** _zai_Doo		16	**dezesseis** jizay-_says_
1	**um(a)** oong(_oo_mah)		17	**dezessete** jizay-_set_ch
2	**dois (duas)** dohys (_doo_-us)		18	**dezoito** dayz_oh_ytoo
3	**três** trays		19	**dezenove** jizay_naw_vi
4	**quatro** _kwah_troo		20	**vinte** _veen_chi
5	**cinco** _seen_koo		21	**vinte e um(a)** _veen_chi ee oong(_oo_mah)
6	**seis** says		22	**vinte e dois (duas)** _veen_chi ee dohys (_doo_-us)
7	**sete** _set_chi		23	**vinte e três** _veen_chi ee trays
8	**oito** _oh_ytoo		24	**vinte e quatro** _veen_chi ee _kwah_troo
9	**nove** _naw_vi		25	**vinte e cinco** _veen_chi ee _seen_koo
10	**dez** dais		26	**vinte e seis** _veen_chi ee says
11	**onze** _ohn_zi		27	**vinte e sete** _veen_chi ee _set_chi
12	**doze** _doh_zi		28	**vinte e oito** _veen_chi ee _oh_ytoo
13	**treze** _tray_zi		29	**vinte e nove** _veen_chi ee _naw_vi
14	**catorze** kaht_ohr_zi			
15	**quinze** _keen_zi			

30	**trinta** _treentah_	fifth	**o/a quinto/-a** _oo/ah keentoo/-ah_
31	**trinta e um(a)** _treentah ee oong(oomah)_		
32	**trinta e dois (duas)** _treentah ee dohys (doo-us)_	once	**uma vez** _oomah vays_
40	**quarenta** _kwahDayntah_	twice	**duas vezes** _doo-uz vayzis_
50	**cinquenta** _seenkwayntah_	three times	**três vezes** _trayz vayzis_
60	**sessenta** _say-sayntah_	a half	**meio(-a)** _mayoo(-ah)_
70	**setenta** _saytayntah_	half an hour	**meia hora** _mayah awDah_
80	**oitenta** _ohytayntah_		
90	**noventa** _nohvayntah_	half a tank	**meio tanque** _mayoo tunki_
100	**cem** _sayng_	half-eaten	**meio comido(-a)** _mayoo kohmeedoo(-ah)_
101	**cento e um(a)** _sayntoo ee oong(oomah)_	a quarter	**um quarto** _oong kwahrtoo_
102	**cento e dois (duas)** _sayntoo ee dohys (doo-us)_	a third	**um terço** _oong tayrsoo_
200	**duzentos(-as)** _doozayntoos (-us)_	a pair of ...	**um par de ...** _oom pahr ji_
500	**quinhentos(-as)** _keenyayntoos(-us)_	a dozen ...	**uma dúzia de ...** _oomah doozyah ji_
1 000	**mil** _meew_	1999	**mil novecentos e noventa e nove** _meew nawvi-sayntooz ee nohvayntah ee nawvi_
10 000	**dez mil** _daiz meew_		
35 750	**trinta e cinco mil setecentos e cinquenta** _treentah ee seenkoo meew setchi-sayntooz ee seenkwayntah_	the 1990s	**a década de mil novecentos e noventa** _ah dekkahdah ji meew nawvi-sayntooz ee nohvayntah_
1 000 000	**um milhão** _oong meelyung-w_		
first	**o/a primeiro/-a** _oo/ah primayDoo/-ah_	the year 2000	**o ano dois mil** _oo unnoo dohyz meew_
second	**o/a segundo/-a** _oo/ah saygoondoo/-ah_	the Millennium	**o milênio** _oo meelaynyoo_
third	**o/a terceiro/-a** _oo/ah tayrsayDoo/-ah_	2001	**dois mil e um(a)** _dohyz meew ee oong(oomah)_
fourth	**o/a quarto/-a** _oo/ah kwahrtoo/-ah_		

Days Dias

Monday	**segunda-feira**	_saygoon_dah _fay_Dah
Tuesday	**terça-feira**	_tayr_sah _fay_Dah
Wednesday	**quarta-feira**	_kwahr_tah _fay_Dah
Thursday	**quinta-feira**	_keen_tah _fay_Dah
Friday	**sexta-feira**	_says_tah _fay_Dah
Saturday	**sábado**	_sah_bahdoo
Sunday	**domingo**	doo_meen_goo

Months Meses

January	**janeiro**	zhun_nay_Doo
February	**fevereiro**	fayvay_Day_Doo
March	**março**	_mahr_soo
April	**abril**	ah_breew_
May	**maio**	_migh_-oo
June	**junho**	_zhoo_nyoo
July	**julho**	_zhool_yoo
August	**agosto**	ah-_gohs_too
September	**setembro**	say_taym_broo
October	**outubro**	oh_too_broo
November	**novembro**	noh_vaym_broo
December	**dezembro**	der_zaym_broo

Dates Datas

It's July 10.	**Hoje é 10 de julho.** _oh_zhi é daiz ji _zhool_yoo
It's Tuesday, March 1.	**Hoje é terça-feira, 1º de março.** _oh_zhi é _tayr_sah _fay_Dah, pri_may_Doo ji _mahr_soo
yesterday	**ontem** _ohn_tayng
today/tomorrow	**hoje/amanhã** _oh_zhi/amun-_nyung_
this …	**deste(-a)** _days_chi (_dais_tah)
last …	**do(-a) passado(-a)** doo(-ah) pah-_sah_doo(-ah)
next …	**próximo(-a) …** _praws_simoo(-ah)
every …	**todos(-as) os(as) …** _toh_dooz(-uz) oos(us)
week/month/year	**a semana/o mês/o ano** ah say_mun_nah/oo mays/oo _un_noo
on [at] the weekend	**no fim de semana** noo feeng ji say_mun_nah

Seasons Estações

spring	**a primavera**	ah preemah_vai_Dah
summer	**o verão**	oo vay_Dung_-w
fall [autumn]	**o outono**	oo oh_toh_noo
winter	**o inverno**	oo in_vair_noo
in spring	**na primavera**	nah preemah_vai_Dah
during the summer	**durante o verão**	doo_Dun_chi oo vay_Dung_-w

Greetings Cumprimentos

Happy birthday! **Parabéns!/Feliz aniversário**
  pah_Dah_bayns/fay_leez_ unnivayr_sah_Dyoo

Merry Christmas! **Feliz Natal!** fay_leez_ nah-_tow_

Happy New Year! **Feliz Ano-Novo!** fay_leez_ _un_noo _noh_voo

Happy Easter! **Feliz Páscoa!** fay_leez_ _pah_skwah

Best wishes! **Felicidades!** faylee-see_dah_ji

Congratulations! **Felicitações!** faylee-seetah-_soyngs_

Good luck!/All the best! **Boa sorte!** _boh_-ah _sawr_chi

Have a good trip! **Boa viagem!** _boh_-ah _vyah_zhayng

Give my regards to … **Os meus cumprimentos a …**
  ooz mayws koompri_mayn_tooz ah

Public holidays Feriados

Major national holidays in Brazil and Portugal, excluding movable feasts:

January 1	New Year's Day	Port.	Braz.
January 6	Epiphany		Braz.
April 21	Tiradentes Day		Braz.
April 25	Freedom Day	Port.	
May 1	May Day	Port.	Braz.
June 10	Camões Day	Port.	
August 15	Assumption Day	Port.	
September 7	Independence Day		Braz.
October 12	Our Lady of Aparecida Day		Braz.
October 5	Republic Day	Port.	
November 1	All Saints' Day	Port.	Braz.
November 15	Proclamation Day		Braz.
December 1	Restoration Day	Port.	
December 8	Immaculate Conception Day	Port.	
December 25	Christmas Day	Port.	Braz.

Time As horas

Clock diagram labels (clockwise from 12):
uma hora
uma hora e cinco
uma hora e dez
uma hora e quinze
uma hora e vinte
uma hora e vinte e cinco
uma hora e meia
vinte e cinco para as duas
vinte para as duas
quinze para as duas
dez para as duas
cinco para as duas

Excuse me. Can you please tell me the time?	**Desculpe. Pode me dizer as horas, por favor?** *jis<u>koo</u>pi. <u>paw</u>ji mi jeezayr uz <u>aw</u>Dus poor fah<u>vohr</u>*
It's five past one.	**É uma e cinco.** *eh <u>oo</u>mah ee <u>seen</u>koo*
It's ten past two.	**São duas e dez.** *sung-w <u>doo</u>-uz ee dais*
a quarter past three	**três e quinze** *trayz ee <u>keen</u>zi*
twenty past four	**quatro e vinte** *<u>kwah</u>troo ee <u>veen</u>chi*
twenty-five past five	**cinco e vinte e cinco** *<u>seen</u>koo ee <u>veen</u>chi ee <u>seen</u>koo*
half past six	**seis e meia** *sayz ee <u>may</u>ah*
twenty-five to seven	**vinte e cinco para as sete** *<u>veen</u>chi ee <u>seen</u>koo <u>pah</u>Dah us <u>set</u>chi*
twenty to eight	**vinte para as oito** *<u>veen</u>chi <u>pah</u>Dah uz <u>ohy</u>too*
a quarter to nine	**quinze para as nove** *<u>keen</u>zi <u>pah</u>Dah uz <u>naw</u>vi*
ten to ten	**dez para as dez** *dais <u>pah</u>Dah uz dais*
five to eleven	**cinco para as onze** *<u>seen</u>koo <u>pah</u>Dah uz <u>ohn</u>zi*
twelve o'clock	**doze horas** *<u>doh</u>zi <u>aw</u>Dus*
noon/midnight	**meio-dia/meia-noite** *<u>may</u>oo <u>jee</u>ah/<u>may</u>ah <u>noh</u>ychi*

at dawn	**de madrugada** *ji mahdroogahdah*
in the morning	**de manhã** *ji mun<u>nyung</u>*
during the day	**durante o dia** *doo<u>Dun</u>chi oo <u>jee</u>ah*
before lunch	**antes do almoço** *<u>un</u>chiz doo ow<u>moh</u>-soo*
after lunch	**depois do almoço** *day<u>pohyz</u> doo ow<u>moh</u>-soo*
in the afternoon	**à tarde** *ah <u>tahrji</u>*
in the evening/at night	**à noite** *ah <u>nohy</u>chi*
I'll be ready in five minutes.	**Estarei pronto(-a) em cinco minutos.** *istah<u>Day</u> <u>prohn</u>too(-ah) ayng <u>seen</u>koo mi<u>noo</u>toos*
He'll be back in a quarter of an hour.	**Ele estará de volta daqui a quinze minutos.** *<u>ay</u>li ishtah<u>Dah</u> ji <u>vaw</u>-wtah dah<u>kee</u> ah <u>keen</u>zi mi<u>noo</u>toos*
She arrived half an hour ago.	**Ela chegou há meia hora.** *<u>el</u>lah shay<u>goh</u> ah <u>may</u>ah <u>aw</u>Dah*
The train leaves at …	**O trem parte às …** *oo trayng <u>pahr</u>chi ahs*
13:04	**treze horas e quatro minutos** *<u>tray</u>zi <u>aw</u>Duz ee <u>kwah</u>troo mi<u>noo</u>toos*
0:40	**zero horas e quarenta minutos** *<u>zai</u>Doo <u>aw</u>Duz ee kwah<u>Dayn</u>tah mi<u>noo</u>toos*
10 minutes late/early	**dez minutos atrasado/mais cedo** *dais mi<u>noo</u>tooz ahtrah<u>zah</u>doo/migs <u>say</u>doo*
5 seconds fast/slow	**cinco segundos adiantado/atrasado** *<u>seen</u>koo say<u>goon</u>dooz ahjun<u>tah</u>doo/ ahtrah<u>zah</u>doo*
from 9:00 to 5:00	**das nove às cinco horas** *duz <u>naw</u>vi ahs <u>seen</u>koo <u>aw</u>Duz*
between 8:00 and 2:00	**entre as oito e as duas horas** *<u>ayn</u>tri uz <u>ohy</u>too ee uz <u>doo</u>-uz <u>aw</u>Duz*
I'll be leaving by …	**Parto daqui antes da(s) …** *<u>pahr</u>too dah<u>kee</u> <u>un</u>chiz dah (dus)*
Will you be back before …?	**Está de volta antes da(s) …?** *is<u>tah</u> ji <u>vaw</u>-wah <u>un</u>chiz dah (dus)*
We'll be here until …	**Ficamos aqui até à(s) …** *fi<u>kum</u>mooz ah<u>kee</u> ah<u>teh</u> ah(uz) …*

Portugal

- Valença
- Viano do Castelo
- Braga
- Bragança
- Porto
- Vila Real
- Aveiro
- Viseu
- Guarda
- Coimbra
- Castelo
- Leiria
- Santarém
- Portalegre
- **LISBON (Lisboa)**
- Évora
- Setubal
- Beja
- Lagos
- Faro

Atlantic Ocean

Spain

Brasil

- Venezuela
- Guiana
- Suriname
- Guiana Francesa
- Colômbia
- Macapá
- Belém
- Fortaleza
- Porto Velho
- Recife
- Peru
- Bolívia
- Cuiabá
- **BRASÍLIA**
- Salvador
- Belo Horizonte
- Paraguai
- São Paulo
- Vitória
- Rio de Janeiro
- Chile
- Porto Alegre
- Argentina
- Uruguai

Atlantic Ocean

Quick reference Referência rápida

Good morning.	**Bom dia.** *bohng jeeah*
Good afternoon.	**Boa tarde.** *boh-ah tahrji*
Good evening.	**Boa noite.** *boh-ah nohychi*
Hello.	**Olá. Oi.** *ohlah. ohy.*
Good-bye.	**Adeus. Tchau.** *ahdayws, chow.*
Excuse me! *(getting attention)*	**Desculpe!** *jiskoopi*
Excuse me. *(May I get past?)*	**Com licença.** *kohng lissaynsah*
Excuse me!/Sorry!	**Perdão!** *payrdung-w*
Please.	**Por favor.** *poor fahvohr*
Thank you.	**Obrigado(-a).** *ohbrigahdoo(-ah)*
Do you speak English?	**Fala inglês?** *ffahlah inglays*
I don't understand	**Não compreendo [entendo].** *nung-w kohmpray-ayndoo [ayntayndoo]*
Where is …?	**Onde é …?** *ohnji eh*
Where are the restrooms [toilets]?	**Onde fica o banheiro?** *ohnji feekah oo bunnyayDoo*

Emergency Emergência

Help!	**Socorro!** *sohkoh-hoo*
Go away!	**Vá embora!** *vah imbawDah*
Leave me alone!	**Deixe-me em paz!** *ddayshimi ing pighs*
Call the police!	**Chame a polícia!** *shummi ah poolee-syah*
Stop thief!	**Pegue! Ladrão!** *peggah lahdrung-w*
Get a doctor!	**Chame um médico!** *shummi oom medjikoo*
Fire!	**Fogo!** *fohgoo*
I'm ill.	**Estou doente.** *istoh dooaynchi*
I'm lost.	**Estou perdido(-a).** *istoh payrdeedoo(-ah)*
Can you help me?	**Pode ajudar-me?** *pawji mi ahzhoodahr*

Emergency ☎	Portugal	Brazil
Fire	112	193
Ambulance	112	192
Police	112	190